講談社文庫

日本橋本石町やさぐれ長屋

宇江佐真理

講談社

目次

日本橋本石町やさぐれ長屋

時の鐘

一

江戸城の外堀から日本橋川へ向かう川口に一石橋が架かっている。この橋は別名八つ見橋とも呼ばれ、そこから日本橋、江戸橋、常盤橋、呉服橋、鍛冶橋、銭瓶橋、道三橋の七つの橋が遠く近くに見える。それに一石橋を加えて八つ見橋となるのだ。八は末広がりのおめでたい数だから七つ見橋と呼ぶより収まりがよかったのだろう。

それはこじつけだと鉄五郎は思う。だいたい、一石橋の名前だってこじつけだ。橋の南詰めに呉服の後藤の店があり、対岸の北側に金座頭の御金後藤の屋敷があるからと言って、後藤を五斗にすり替え、両方合わせて一石だなんて冗談にもほどがある。まあ、どちらも幕府の御用商人だから、それぐらい持ち上げても罰は当たるまいと言う者もいる。もちろん、両後藤は自分達に因む橋を大層ありがたがり、一石橋の修復工事の際には喜んで金を出したという。だが、鉄五郎は何んとなく得心の行かないものを持ち続けていた。

江戸の人間は、全体、ものごとを洒落のめして喜ぶところがある。一石橋だって、両方の後藤を敬っているのではなく、からかってつけたように感じるのだ。本銀町の居酒見世「井筒屋」で仲間と飲んでいる時にその手の話が持ち上がると、鉄五郎は黙っていられず、つい文句を言ってしまう。仲間というのは井筒屋の常連客や、鉄五郎が住む弥三郎店の店子達のことだ。この間だって鳶職の金助という十八の若い者が弥三郎店をやさぐれ長屋だと言ったことから鉄五郎の文句が始まった。

「手前ェの住んでいるヤサ（家）をばかにされたんじゃ黙っていられねェ。表に出ろ！」

気色ばんだ鉄五郎に金助は慌てた。

「おいらが言ったんじゃねェ。皆んなもそう言ってる」

「皆んなって誰よ」

「そのう、この近所の人よ」

「何んでやさぐれなんだ？　お前ェ、やさぐれの意味を知ってんのか、こら」

鉄五郎が金助に詰め寄ると、周りにいた客は、鉄ちゃん、それぐれェで勘弁してやんな、と止めに入る。いいや、勘弁ならねェ。鉄五郎は片膝を立てた。

「いいか、やさぐれってのはヤサに居着かず、仕事も持たねェ半人前の奴を指す言葉だ。はばかりながら弥三郎店にゃ、そんな奴は一人もいやしねェ。あまり舐めた口は利かねェで貰いたいもんだ」

鉄ちゃん、やさぐれ長屋は語呂合わせだよ、たまたま弥三郎と似ていただけだ、と金助に助け舟を出す声も聞こえる。

「どこが似ているってんだ。やさだけだろうが。ぐれとぶろうは似ても似つかねェ」

鉄五郎は声のしたほうをぎらりと睨む。この辺りから、井筒屋の中は、やれやれ始まったぜという、やり切れない空気が漂う。小間物屋の隠居などは「お前が余計なことを喋るから悪いんだ」と金助を叱った。金助は膝頭を両手で摑み、もはや何も喋らなかった。これ以上、口を返しても鉄五郎にはかなわないと諦めたのだ。理屈っぽく、口の達者な鉄五郎は近所でも有名だった。

「世の中はよう、いい加減なことが多いもんだ。そいつは、一石橋のようにふざけた名前ェをつけたことから始まっているような気がするのよ。一石橋が許されるなら、弥三郎店がやさぐれ長屋でも構やしねェという理屈になる。え？　そうじゃねェのかい。金助のヤサは卯三郎店だから、皆んなはうさぎ小屋とでも呼んでいるのけェ」

ぷッと噴き出すとともに、うさぎ小屋は幾ら何んでもひどいよなあ、苦笑交じりの声も聞こえた。金助は観念して「おいらが悪うござんした。兄さん、勘弁して下さい」と殊勝に謝った。金助が謝ったからその場は収まったものの、そうじゃなかったら鉄五郎の文句は見世の看板まで続いたはずだ。

「今度からものの言い方に気をつけろ」

鉄五郎は渋みを利かせた声でそう言うと、ようやく金助を許してやった。

鉄五郎は真面目な男だった。年はまだ二十四歳で、女房はいない。手間取りの大工をしているから、毎月そこそこの銭は稼ぐ。もちろん、女房を貰っても養って行けるのだが、鉄五郎はどうもその気になれない。近頃の娘達は暇さえあれば髪を撫でつけ、身を構うことばかりに熱心だ。口を開けば他人の噂話。おまけに芝居役者にのぼせ、顔見世狂言の頃になると絵草紙屋で贔屓の役者絵を買い込み、そいつを懐に入れ、うっとりとした顔つきで歩いている者が多い。そういう娘達を見る度、鉄五郎は苦々しい気持ちになる。家の手伝いをするとか、縫い物をするとか、女にはすることがたくさんあるだろうに、と思う。まあ、日本橋界隈は商家が軒を連ねているので、自然、ご苦労なしの娘達も多いということになるが、奉公している女中達まで同じようなありさまだから呆れてしまうのだ。

住まいにしている本石町二丁目の弥三郎店の大家が縁談の話を持って来ても、鉄五郎はその気になれなかった。差配（大家）の治助は身の周りのことが不自由だろうと言うが、鉄五郎はちっとも不自由だと思っていなかった。

鉄五郎は本所の百姓の家に生まれた。五人きょうだいの次男だった。母親の親戚に富籤を当てた鉄五郎という名の男がいたので、父親はそれにあやかって鉄五郎にしたのだ。自分の名前の由来も鉄五郎はおもしろくない。富籤に当たったのはたまたまのことだ。それをまともに取って、あわよくば息子に運が向くようにと考えるなんざ了簡が狭い。運は手前ェの力で摑み取るものだと思っている。事実、鉄五郎は富籤なんて、ただの一度も買ったことがなかった。

実家は家族総出で働いても翌年の種籾を買うことすら難しかった。絵に描いたような貧乏暮らしだった。おまけに鉄五郎はあまり両親に可愛がられなかった。理屈っぽい性格のせいだろう。

子供の頃、父親が酒に酔った拍子に鉄五郎がほしがっていた独楽を買ってくれると言った。今すぐではなく、稲刈りが終わり、お上に差し上げるものを差し上げてからのことだと父親は念を押した。鉄五郎は半年も前からその日が来るのを楽しみにしていた。だが、結局、父親は約束を果たさなかった。約束したことさえ忘れていたようだ。強く詰(なじ)ると父親は癇(かん)を立て、鉄五郎を加減もなく引っぱたいた。それ以来、父親は何んとなく鉄五郎を疎(うと)んじるようにもなったのだ。

こんな家にいても仕方がない。鉄五郎は早くからそう考えるようになった。日本橋の大工の親方が徒弟(とてい)を探しているという話が持ち上がると、鉄五郎は、おいら、徒弟になりてェ、とすぐに言った。まだ十二歳になったばかりの頃だ。両親は反対しなかった。鉄五郎が家を出れば口減らしにもなる。そのくせ、給金が貰えるようになったら、幾らか家に入れてほしいと言うことは忘れなかった。

誰がこんな家に銭を入れるか、と鉄五郎は思ったが、一緒に住んでいた祖母だけは鉄五郎を不憫(ふびん)がった。辛(つら)かったらいつでも戻っておいでと優しい言葉を掛けてくれた。だが、そんな甘(あ)めェことを言えば、鉄五郎はのこのこ舞い戻って来ると、祖母は父親に叱られた。

祖母は鉄五郎が奉公に出るまでの短い間に単衣(ひとえ)や袷(あわせ)、綿入れ半纏(ばんてん)、襦袢(じゅばん)、下帯(したおび)などを夜なべして縫ってくれた。祖母のことを思い出すと鉄五郎は今でも涙が込み上げる。実家で真に情愛を注(そそ)いでくれたのは祖母だけだった。その祖母も鉄五郎が十九歳の時に死んだ。

知らせが来て、鉄五郎は親方が用意してくれた香典を持って本所に行った。祖母の枕許に香典袋を置くと、母親の手がすいっと伸びて香典袋を取り上げた。中身を確かめ、おどさん、一朱（一両の十六分の一）も入っていたよ、と感嘆の声を上げた。祖母が死んだのに香典が集まることを喜ぶ母親が情けなかった。

「当たり前ェだ。鉄五郎が奉公している親方ならそれぐらいしても罰は当たらねェ」

父親もそう言ってほくそ笑んだ。嫁に行った妹のおとよは姑に頭を下げて香典を持って来たのに、両親は線香代にもならないと嫌味を言う始末だった。鉄五郎はおとよが気の毒でならなかった。

祖母の野辺送りが済むと、鉄五郎は早々に親方の家に戻った。それから正月と盆の藪入りの時でさえ帰っていない。今度帰る時は両親のどちらかの弔いだろうと、鉄五郎は縁起でもないことを考えていた。

朝は明六つ（午前六時頃）の鐘が鳴るとともに起き、蒲団を畳み、狭い座敷を箒で掃く。

それから台所に下りて、竈に火を入れてめしと汁を拵える。めしが炊き上がる間に身仕度を調えて、外の井戸で歯を磨き、顔を洗う。

その頃になると納豆売りがやって来るので、鉄五郎は小丼を持って納豆売りから葱とからしを添えた納豆を買い、それを朝めしのお菜とする。豆腐売りがやって来れば、豆腐も買い、味噌汁の実にする。
流しの下には梅干しの瓶と糠漬けの瓶が置いてある。梅干しをひとつ出し、糠漬けの野菜は水で洗って刻む。野菜は大根だったり、茄子だったり、瓜だったり、季節で違う。丁寧に毎日掻き回していれば一年中、うまい漬け物が食べられた。梅干しも糠漬けも祖母がやっているのを見て覚えた。そういう手間が面倒だという気持ちは、鉄五郎にはない。面倒ならめしは喰わねェのかいと言いたかった。

朝めしを食べ終え、使った食器を洗うと鉄五郎は仕事に出かける。普請現場はその時々で違うので、出かける時刻はまちまちだが、雨でも降らない限り、鉄五郎は毎日仕事に出かける。飲み過ぎてずる休みしたことなど、ただの一度もなかった。ただし、弁当まで手が回らないので中食は近くの一膳めし屋や蕎麦屋で食べることにしている。親方の家に住み込んでいた頃は、おかみさんが握りめしを拵えてくれたものだ。

鉄五郎は手間取りになったのを機会に親方の家を出ようと自分で決めた。男一四、これからは手前ェの力で生きて行かねばならぬと考えたのだ。それに一人の時間がほしくなったせいもある。二六時中、親方の顔を見ているのも気が滅入った。どこまでが仕事で、どこからが自由な時間なのか境目もなかったからだ。弥三郎店に越して来て誰に遠慮もいらない暮らしは快適だったが、時々、おかみさんの握りめしが恋しくなることがあった。

梅干しとおかかの握りめしは色気もそっけもないものだったが、大層うまかった。自分で握りめしを拵えて弁当にしたこともあるが、味はもうひとつだった。おかみさんが鉄五郎のために心を込めて拵えてくれたからこそうまかったのだ。あの握りめしを味わいたかったら、所帯を構え、女房に拵えさせるしかないのだが、鉄五郎は、まだその気になれなかった。

一日仕事をして弥三郎店に戻る頃、本石町三丁目にある時の鐘が暮六つ（午後六時頃）を告げる。時の鐘は江戸市中に時刻を知らせるために設けられたという。確か二代将軍の徳川秀忠（とくがわひでただ）公が設置を命じたそうだ。

鉄五郎は時の鐘が好きだった。毎日、毎日、雨の日も嵐の日も正確に時を告げる。いい加減なことが多い世の中で、時の鐘だけが鉄五郎が信頼できる唯一無二なものだった。

二

その日も弥三郎店の半町ほど先で時の鐘が暮六つを知らせ、鉄五郎は思わず立ち止った。腹に響く時の鐘の音を聞きながら、ああ、今日も無事に一日の仕事が終わったと、安堵が拡がっていた。つかの間、眼を閉じて鉄五郎は鐘の音に聞き惚れる。それから眼を開けて歩き出そうとした時、こもった笑い声が聞こえた。

立ち止った所が「旭屋」という莨屋の前だった。どうやら笑い声はその店の中から聞こえていたようだ。障子に莨の葉を描き、四角な板三枚に「たばこ」と書いて斜めに繋いで看板としているのは、どこの莨屋も同じである。開け放している障子の奥をひょいと覗くと、十七、八の娘がこちらを見ていた。

色白で美形の娘だが、小意地の悪そうな表情をしている。鉄五郎は睨み返してその場を離れようとしたが、娘は「時の鐘がそれほど好きなのかえ」と訊く。

「うるせエや。鐘の音を聞いてどこが悪い」

鉄五郎は怒気を孕んだ声で応えた。

「別に悪かないけどさ、あんた、暮六つの鐘が鳴ると、いつもうっとりした顔で立ち止まるじゃないか。そんな人も珍しい」

娘は含み笑いを堪える表情で言う。江戸は梅がちらほら咲き始めていたが、吹く風はまだ冷たかった。娘はすでにぼてぼてした綿入れにおさらばして、すっきりしたえんじ色の袷の恰好だった。それに黒っぽい帯を締め、友禅の前垂れを掛けている。口の利き方が悪くなければ、鉄五郎も道ですれ違った時、振り向きたくなる器量である。だが、しょっぱなから小ばかにした態度が鉄五郎の癇に障り、自然、返す言葉も悪態めく。

「うっとりなんざしていねェよ。ああ、暮六つだと思うだけだ」

「ああ、そうかえ。余計なことを喋っちまった。はばかり様。行きな」

娘は面倒臭そうに応え、後片づけを始めた。旭屋もそろそろ店を閉めるのだろう。行きな、とは何んて言い種だろうか。鉄五郎はむっとしてその場から離れた。歩き出して、はて旭屋に年頃の娘なんていただろうかと鉄五郎は思った。もっとも莨飲みでない鉄五郎は旭屋に用事がない。それでも近所の人間の顔は覚えているつもりだ。旭屋は四十半ばの亭主とその女房、それに莨の葉を刻む賃粉切りと呼ばれる年寄りの職人がいる店だった。店の構えは小さいが全国の莨の銘柄を揃えているということで日本橋以外の町からも贔屓の客が訪れる。服部、竜王、国分、小山田、松川、もき、秦野、舞留、薄舞、薄紅梅と、莨と言っても様々だ。上等の莨は一斤につき一分（一両の四分の一）もするという。そこいらの男どもが買うのは五匁十六文ほどの安莨だったが。

葭屋の女房は遊女上がりが多いと言われる。旭屋の女房も昔は吉原の小見世にいたと聞いている。だからあの娘もその手合だろうと、鉄五郎は邪険にされた腹いせにそう思っていた。

裏店に戻ってから、近くの「富士の湯」という湯屋へ行って、鉄五郎は一日の汗を流した。それから本銀町の井筒屋に向かった。その夜は井筒屋で一杯飲んで晩めしを食べようと朝から心積もりしていた。

井筒屋は間口二間の狭い見世だが、中に入ると存外に奥行きがあり、板場に通じる通路を挟んで両側に十畳ほどの店座敷がある。客は思い思いの席に座り、煮魚だの、焼き魚だの、卯の花、煮物などを肴にちろりの酒を飲む。ちろりは居酒見世のような安直な飲み屋で使われる酒の容器のことである。

その夜、鉄五郎は鯵の焼いたのに、高野豆腐の煮しめを頼んだ。ちろりの酒は一本と決めている。酒を飲み終えたら豆腐のあんかけ汁でめしを食べるつもりだった。

「おう、鉄ちゃん」

声を掛けて来たのは弥三郎店の店子で左官職人をしている喜助だった。三十五になるが母親と二人暮らしで女房のいない男だった。

「仕事はどんな按配よ。大工仕事は十日ほどでけりがつくと聞いているが、その通りけェ？　予定通りだったら、すぐにおれ達も現場に入らなきゃならねェしよう」

鉄五郎が手掛けている普請現場は喜助の親方も請け負っていた。大工の仕事が済んだら、すかさず左官職人が入り、仕事が引き継がれる。それから建具職人や畳職人も待ち構えているのだ。仕事の予定はあくまでも大工次第で進められる。

「建て主さんから直しが入ったから、そうさなあ、二日ばかり遅れると思いやすが」

鉄五郎は煤けた天井を見上げ、思案顔で応えた。

「そいつは却って好都合だ。なに、今やっている現場がよう、思っていた以上に手間が掛かって、鉄ちゃんの所の仕事に遅れそうだと親方は心配しているのよ。二日でも延びれば親方は安心すらァ」

喜助はほっとしたように疎らな歯を見せて笑った。そのまま鉄五郎の傍に座る。煩わしい気もしたが、もちろん、あっちに行けとは言えない。喜助は晩めしを食べたらしく、らっきょうを肴にちびちびと飲み始めた。

「喜助さんは旭屋の娘のことを知っていますかい」

鉄五郎はふと思い出して訊いた。真面目な鉄五郎は年上の者には丁寧な言葉遣いをする。礼を尽せば相手は自分を悪いようにしない。それが十二歳から大工の徒弟に入って身につけた世渡りの術だった。

「つたんですよ」

「ええ。前は夫婦と莨職人だけだったような気がするんですよ。今日、通り掛かると十七、八の娘が店番をしていて、おいらに時の鐘が好きなのかと、ふざけたことを言ったんですよ」

「へへえ」

喜助は興味深そうな表情になった。しかし、旭屋の娘のことは知らなかったらしく、顔見知りの客の所に行って、あれこれ訊いてくれた。

「鉄ちゃん、あの娘はよしたほうがいい」

北鞘町（きたさやちょう）の廻船（かいせん）問屋の番頭をしている亀助（かめすけ）という四十がらみの男がこちらを向いて鉄五郎に釘（くぎ）を刺した。

「番頭さん、おいらそんなつもりじゃねェですよ」

鉄五郎は慌てて応えたが、顔が赤くなった。

「あの娘はおやすと言って、年はまだ若いが出戻りなんだよ。実家は神田（かんだ）だそうだが、世間体が悪いから親戚に当たる旭屋に預けられたのさ。離縁されるのも無理はないよ。言いたい放題、やりたい放題で、舅（しゅうと）や姑に嫌われて追い出されたのさ」

亀助は訳知り顔で鉄五郎に教える。まあ、あの調子なら離縁されるのも無理はないと鉄五郎も思った。

「見た目はきれいだから、何も知らない男は、最初はぽうっとなるが、すぐに化けの皮が剝がれるのさ。米沢町の越中屋の倅もおやすの見た目にほだされて女房にしたんだが、祝言を挙げてひと月も経たない内に、もうおやすに頭を抱えたって話だ」

亀助はわざわざ鉄五郎の傍まで来て話を続ける。越中屋は薬種問屋で、繁昌している店だという。

「女房はよう、ちゃんと家の中のことをして、子供をたくさん産む娘が一番よ。少々おたふくでもいいってことよ」

そんなことは、亀助に言われなくても鉄五郎は十分承知している。亭主の言うことをよく聞き、贅沢せず、しっかり家を守る女房がいいのだ。だけど、そんな女房になる娘が本当にこの世にいるのだろうか。美形の娘だから言いたい放題、やりたい放題とは限らない。おたふくの娘でもそんな手合はいるだろう。その見極めが鉄五郎には難しかった。

「どうだい、うちの店に年頃の女中がいるんだが、一度会ってみる気はないかい。お面は悪いが働き者だよ」

亀助はここぞとばかり鉄五郎に縁談を勧める。

「番頭さん、おいら、まだ女房を持つ気はありやせんよ。それより喜助さんのおかみさんを探して下さいよ」

鉄五郎がそう言うと、亀助はまじまじと喜助の顔を眺めた。

「喜助さんはちょいと年を喰っているからなあ。それに裏店住まいで年寄りの母親がべったりついているとなれば、縁談も難しいよ」

「裏店住まいの何が悪い。母親が一緒にいたら縁談に差し支えるのか。おう、番頭さん、とくと聞かせてくんな」

喜助がいきなり怒り出したので鉄五郎は慌てた。亀助も喜助の剣幕に恐れをなして、そそくさと傍を離れた。

「番頭さんも言い過ぎだ。喜助さんが怒るのも無理はありやせんよ」

鉄五郎は喜助の肩を持つ言い方で宥める。

「あの番頭の言うことなんて信用できねェ。おおかた鉄ちゃんに勧めた女中は番頭のお手付きだろうよ」

喜助は、さも肝が焼けた様子で言う。

「番頭さんの話は忘れやしょう」

鉄五郎は喜助の猪口に酌をしながらさり気なく制した。

「鉄ちゃん、旭屋の娘が気に入ったんなら、ぶつかってみたらどうでェ」

喜助はそんなことを言った。

「おいら、出戻りはちょいと……」

鉄五郎が応えると、喜助は、ばかやろうと吼えた。

「出戻りだろうが何んだろうが、お互げェの気持ちが通じればそれでいいんだよ」

「喜助さんにもそんな人がいたんですか」

「おきゃあがれ！　いたさ。死ぬの生きるのと思い詰めたよ。見ろ、これを」

喜助は着物の袖を捲る。二の腕に「おすず命」という彫り物が掠れて残っていた。

「おすずさん？」

「おうよ。岡場所の妓だったがな。んなことおれには問題じゃなかった。そいつと一緒になれたら本望だと思ったよ。だがな……」

そこで喜助は口ごもった。

「お袋さんが反対したんですか」

鉄五郎はおずおずと訊いた。

「ああ。それしゃ（玄人）上がりの嫁はいらねェってよ」

「…………」

「それで泣く泣く別れた」

「だから喜助さんはおすずさんを諦め切れずに今まで独りでいたんですね」

「おうよ。だが、悔やんでいるぜ。お袋はおれより先にお陀仏になるじゃねェか。その後、おれは一人ぼっちになる。たまらねェよ」

「今からでもおかみさんを探したらどうですか」

「無理だよ。お袋は膝が悪くて歩くのにも往生している。嫁さんになる女はお袋の面倒を見に来るようなもんだ。若けェ時から一緒に住んでいたなら仕方がねェと了簡するだろうが、今からじゃ遅い」

「だって、喜助さんの実の母親じゃないですか。そんな、姑の世話をするのがいやだなんて勝手な理屈は通りませんよ」

「鉄ちゃん、世の中はそんなもんだ。女だってみすみす損になるような真似はしねェ」

喜助はそう言って、しゅんと洟を啜った。喜助の話を聞きながら、鉄五郎の気持ちは複雑だった。女房とは何んだろう。めしの仕度や洗濯、掃除、日々のやりくりを任せる者だと漠然と鉄五郎は思っていた。弥三郎店のかみさん連中も亭主の取って来る給金の少なさに文句を言いながらも家族の世話をしている。それを当たり前のこととして見ていたが、亭主と所帯を構える頃は、いつまでも裏店住まいをしているつもりはなかったはずだ。

一軒家の住まいを構え、亭主の実入りがよい時はちょいとおめかしして芝居見物のひとつもしたいと夢を見ていただろう。ところが様々な事情でそうはならなかった。いい目を見る人間なんて、この江戸ではほんのひと握りなのかも知れない。では自分はどうしたらいいのか。若くて働き盛りの内に女房を見つけるのが利口なのだろうか。たとい、少々、意に染まない娘でも。

わからない、と鉄五郎は首を振ってちろりを傾けたが、あいにく酒はすでになく、雫がぽたりと落ちただけだった。鉄五郎は思い切りよく酒を仕舞いにした。

「大将、めしと豆腐のあんかけ汁を頼みまさァ」

鉄五郎は板場に向かって大声を張り上げた。

喜助は俯いて、まだ洟を啜っていた。

三

　雨で仕事が休みになったある日、本所から鉄五郎の妹のおとよが青物を持って訪ねて来た。

「お前ェ、何もこんな雨の日にやって来なくてもいいだろうに」

　鉄五郎は呆れた口調で妹のおとよを中に招じ入れた。おとよは青物の入った背負い籠を担ぎ、番傘を差していた。傘をすぼめると盛大に雨の雫が落ちた。

「雨じゃなきゃ、鉄ちゃんは仕事だから会えないじゃないの」

　おとよはそんなことを言って、背負い籠を下ろした。それから手拭いですばやく濡れた足を拭き、狭い座敷に座った。まだ春だというのに、おとよの顔は陽灼けしていた。実家の近所の農家に嫁いだので、野良仕事に追われているのだ。おとよは鉄五郎の二つ下の妹で昔から仲がよかった。おとよの下に妹と弟がいる。下の妹も嫁に行ったが、弟は兄の手伝いをしながら家に残っていた。

「元気にしていたか」

　鉄五郎は火鉢の鉄瓶の湯で茶を淹れた。

「ええ、何んとかね。へえ、鉄ちゃん、きれいにしているじゃない」

　おとよは家の中を見回して感心した顔で言う。

「掃除をしたばかりよ」

鉄五郎は褒められたのが照れ臭く、鼻の下を人差し指で擦った。

「ここには前にも来たのに、すっかり忘れてしまって、近くの莨屋さんで場所を訊いたのよ。きれいな娘さんが店番をしていた」

旭屋のことだとすぐに気づいた。

「知らねェって言われなかったけェ？」

「ううん、親切に教えてくれたよ。鉄ちゃんのこと、真面目な大工さんだと褒めていた」

「へえ、そうけェ」

おやすが自分を褒めていたとは意外だった。

「あの人、もしかして鉄ちゃんに気があるのじゃない？」

「よせやい。あいつ出戻りだぜ」

「そうなの。でも、頭は丸髷じゃなかったよ」

「まあ、嫁ぎ先にゃ幾らもいなかったらしいから、まだ娘のつもりでいるんだろうよ」

「江戸はいろんな人がいるのね。いただきます」

おとよは鉄五郎の淹れた茶に礼を言ってひと口飲んだ。それから、また話を続ける。

「実家のおっ母さん、鉄ちゃんが藪入りにも顔を見せないって、こぼしていたよ」

「顔を見せりゃ、銭の話ばかりで鬱陶しくならァ」

「それもそうね。うちにも時々無心に来るのよ。でも、あたしは竈を渡されている訳じゃなし、そうそうは都合してやれないよ。たまたま、うちの人がいた時には幾らか渡しているけど」

「お父っつぁんと兄貴と米吉が働いても相変わらず実入りはよくならねェんだな」

鉄五郎の声にため息が交じる。米吉は弟の名前だった。

「鉄ちゃんは利口だよ。さっさと大工になったんだもの。百姓するよりずんとまし」

「お前ェのところは何んとか喰っているんだな」

「畑もやっているからね。身体はきついけど、市場へ持って行けば幾らかお金になるのよ」

「そうか」

「でね、今日来たのは米吉が浅草の海苔問屋に奉公することを知らせるためだったの。田圃の世話をしていても先が見えないから、村を廻って来る口入れ屋（周旋業）の勧めで決めたのよ。あたしもそれには賛成したの」

米吉は十六になる。今から奉公して、ものになるのだろうかと鉄五郎は心配になった。だがおとよは別の心配でやって来たらしい。

「米吉には着る物がまるっきりないのよ。鉄ちゃん、袷か単衣、それに兵児帯を譲ってくれないかしら。うちの人は紋付と野良着しかないのよ。向こうに行ったらお仕着せを渡されると思うけど、初めてお店に行く時ぐらい、ましな恰好をさせたくて」

「婆ちゃんも死んじまって、着物を拵える人もいなくなったんだな」

「その通りよ。おっ母さんは浴衣ぐらいしか縫えないし」

鉄五郎も手持ちに余裕があるとは言えなかったが、弟のためだった。細縞の袷と鉄紺色の単衣、それに茶の兵児帯を出してやった。ついでに襦袢も一枚つけた。

「恩に着るよ。これで米吉の仕度が間に合う」

おとよは眼を輝かせた。

「それから、これ……」

鉄五郎は小銭の入った巾着をおとよの前に置いて、土産でも買って帰りな、と言った。

「いいの？」

「ああ。もうすぐ晦日で給金が入るから、たまには兄貴らしいことをさせてくれ。お前ェは一生懸命働いて感心な女だからよ」

そう言うとおとよは眼を潤ませた。そんなことを言ってくれるのは鉄ちゃんだけだと、くぐもった声になる。姑はまるでおとよを女中のように扱き使い、亭主はそれを見て見ない振りをしているそうだ。

「あたしね、贅沢したいとは思っていないのよ。家族でごはんが食べられたらそれでいいの。でもね、たまにはお前がいて助かるとか、よくやってくれるねとか言ってほしいの。それだけであたしは今日も明日も元気に働けるのよ」

「誰が言わなくてもおいらが知っている。それでいいじゃねェか」

「そうよね。鉄ちゃんはあたしの優しい兄さんだ。ちゃんとわかってくれる人がいるんだから、あたしは倖せよね」

「なあ、おとよ。おいらもそろそろ年頃だから、やっぱり女房を持ったほうがいいだろうか」

鉄五郎はふとそんなことを訊いてみた。おとよは涙を拭うと、大きく眼を見開いた。

「それはもちろんよ。鉄ちゃんのお嫁さんはきっといい人だと思う。あたし、張り切って青物を届けるよ」

「ただな、世間の話を聞くと、無理して女房を持つ必要があるのかとも思うのよ。現にお前ェだって、つれない亭主にがっかりしている様子だし」

「今はね。でも、年を取った時、やっぱり独りは寂しいよ。苦労しても、昔はあんなことがあった、こんなこともあったと思い出話ができるじゃない」

「年寄りになった時の用意けェ？」

「それればかりじゃないけど、独りでいると男も女も世間様から一人前だと見なされないよ。この世は男と女で成り立っているんだから、いい人がいたら一緒になったほうがいいと、あたしは思うの」

「そんなもんけェ」

「そんなものよ。ささ、長居すると帰りが遅くなる。慌ただしいけれど、あたしはこれでお暇(いとま)するよ」

おとよは、そそくさと腰を上げた。

「雨だから帰りが難儀だ。日本橋の船着場から船で帰りな。船賃を出してもお釣りは出るだろうよ。そうそう、近くにうまい菓子屋もある。土産はそこで買いな。おいらも送りがてら一緒についてってやろう」

「ありがと、鉄ちゃん」

おとよは満面の笑みになって礼を言った。

幸い、雨は小降りになったので、鉄五郎はおとよと一緒に品川町の菓子屋に寄り、それから日本橋の袂にある船着場からおとよを船に乗せた。用事が足りておとよは満足そうだった。鉄五郎も力になることができて嬉しかった。おとよが船からいつまでも掌を振っていたのが切なかった。女房にするのはおとよのような娘がいいと、ふと思う。嫁に行って家族の世話で大変なのに実家の弟の心配までしているのだ。両親が頼りないと子供はしっかりするんだろうかと、鉄五郎はつまらないことを考えながら本石町に踵を返していた。


本町の辻を曲がった時、旭屋のおやすが風呂敷包みを携え、薄紅色の蛇の目傘を差しながらこちらへ向かって来るのに気づいた。鉄五郎は胸の動悸を覚えた。黙ってやり過ごそうかとも思ったが、おとよが自分の居所をおやすに訊いている。礼はしておかなければならなかった。

「おやすちゃん、さっきは妹においらの居所を教えてくれたそうで、ありがとよ」

鉄五郎はぶっきらぼうに言った。おやすは虚を衝かれた表情になったが、礼には及ばないよ、と応えた。

「しっかり者の妹さんだ。あんたのことを心底案じていた。あたしもあんな妹がほしかったよ」

おやすは眼を細めて続ける。

「いいや、上に兄貴が三人もいる。三人とも極楽とんぼで使いものにならない男達だ。お父っつぁんが借金で首が回らなくなっても誰一人頼りにならなかったのさ」

「それでおやすちゃんは嫁入り先から舞い戻ったのけェ？」

そう訊くと、おやすは形のよい眉をきゅっと上げ、あたしの噂は拡まっているようだね、と皮肉な口調で言う。

「噂ってほどじゃねェが」

「おおかた、あることないこと触れ回っているのは備後屋（びんごや）の番頭だろう」

備後屋は亀助が勤める廻船問屋の屋号だった。鉄五郎が黙っていると「図星だろ？」とおやすは鉄五郎の表情を窺（うかが）う。

「人の口に戸は閉（た）てられねェというから、あまり気にすることはねェ」

「気にするよ。あたしのお父っつぁんは神田で薬種屋をしていたんだ。借金はつまり、仕入れの金が工面できなくなったからだよ。問屋は越中屋さ。そこに三十半ばにもなる独り者の倅がいたんだ。そいつはうちの兄貴達よりも、まだ使いものにならない男だった。そいつのてて親はうちの店の足許を見て、あたしが嫁になるのなら借金は帳消しにすると言ったんだよ」

「それで泣く泣くおやすちゃんは越中屋に嫁入りしたのけェ」

「そうさ、吉原に身売りするよりましだと思ってね」

「…………」

「ひどい奴だったよ。家の仕事は何もできないくせに女と見れば目の色を変えて追い掛けるのさ。店の女中には片っ端から手をつけていた。舅と姑はあたしが嫁入りすれば少しは落ち着くと思ったんだろうよ。だが、そうはならなかった。あのままあそこにいたら、あたしは気が変になっただろうよ」

「それで嫁入り先をおん出たって訳か」

「いいや、手前ェからおん出たんじゃや、お父っつぁんの借金を返せと言い出すと思って、ちょいと策を考えたんだ」

「何んの策よ」

そう訊くと、つかの間、おやすは言葉に窮した。

「幾らあたしでも、そこまで言えない。察しておくれよ」

　そう言われても鉄五郎にはさっぱり見当がつかなかった。

「備後屋の番頭は越中屋に出入りしていたから、あたしのことは知っている。旭屋も莨の葉をよその国から船で運ばせているんで、備後屋の世話になっていた。着いた品物を引き取りに行った時、あの番頭は根掘り葉掘りあたしのことを訊くのさ。いい加減、うんざりだよ。何も言わないでいると、勝手に作り話をしてさ、大嫌いだ、あんな奴」

　おやすは不愉快そうに吐き捨てた。

「わかった、わかった。あんまりカッカすんな。今度番頭さんが勝手なことをほざいたら、おいらが止めるから心配すんな」

「優しいんだね」

「別にそんなこともねェが」

「それに真面目だ。あんたが時の鐘を好きな訳がわかったような気がするよ」

「え？」

「毎日毎日、時の鐘は律儀に時を刻む。それはあんたも同じだ。毎日毎日、仕事に出て、時の鐘が鳴る頃に帰って来る。莨はやらず、お酒は少し飲むだけで酔っぱらって正体を失くしたことはない。曲がったこともいい加減なことも嫌い。あたしにはとても真似ができないよ。見上げたもんだ、屋根屋のふんどしってもんだ」

褒めておいて、おやすは最後にからかいの言葉になった。

「長話をしちまった。あたしの話は忘れておくれ。それじゃ」

おやすは、ふっと笑って鉄五郎に背を向けた。鉄五郎はしばらくその後ろ姿を見つめていた。

おやすはどうして自分に身の上話を語ったのだろうか。それは亀助の噂話を真に受けてほしくないという意味もあろうが、それだけではないような気もする。鉄五郎の気持ちは微妙に変わっていた。おやすが出戻りだということも気にならなくなっていた。それが我ながら不思議だ。喜助はお互いの気持ちが通じればそれでいいと言ったが、おやすと自分の気持ちが通じているとは思えない。性格はてんでばらばらだ。それでもおやすに魅（ひ）かれて行く気持ちはどうしようもなかった。

ため息が洩（も）れる。さて、家に戻って、おとよから貰った青物をどうにかしなければならない。

鉄五郎は、おやすに対する思いを一時、振り切るかのように、弥三郎店に向けて急ぎ足になった。

四

　吹く風はまだ冷たかったが、日によっては汗ばむほど暖かいこともあり、鉄五郎の仕事もやり易くなってきた。

最近の鉄五郎は旭屋の前に来た時、ちょうど暮六つの鐘が鳴るように歩調を加減して歩く。うまく行った時、おやすが店の中から顔を出し、お帰りなさい、と言葉を掛けてくれるのが嬉しかった。おやすを女房にしたいという気持ちにはなっているが、真面目な鉄五郎は決心を固めたら大家の治助に仲人となって貰い、正式に旭屋に行って申し込むつもりだった。それにはまだ色々と準備があった。

　紋付羽織を誂えなければならないし、それ相当の金も用意しなければならない。鉄五郎はますます張り切って仕事に精を出していた。

　その日は亀井町の普請現場が引けるのが早かったせいか、旭屋の前まで来ても鐘の音がしなかった。辺りを行き交う人々の顔は白っぽく霞み、表情は見え難い。いわゆる逢魔が時と呼ばれるたそがれだった。もう少しゆっくり歩いて来るんだったと、肩に担いだ道具箱を揺すり上げた時、鉄五郎の前に三人の男が立ち塞がった。

男達の一人は金助だった。三人は「い組」の半纏を着ていた。鳶職は、普段は道路の補修や普請現場の足場掛けをするが、町火消しの御用も承っている。い組は日本橋の本銀町、本石町を初め、日本橋川の先の西河岸町、呉服町、青物町など、四十三町を縄張にしている。

「何んでェ」

鉄五郎は男達を睨みながら訊いたが、不安が胸に拡がっていた。

「お前ェさん、うちの金助が住んでいる卯三郎店をうさぎ小屋と言ったんだってな。舐めた口を利いてくれるじゃねェか。卯三郎店はおれの伯父貴の持ちものだ。伯父貴をばかにされたんじゃや、おれも黙っていられねェよ」

金助の兄貴分らしいのが斜に構えたもの言いで鉄五郎に詰め寄った。年は鉄五郎よりかなり上に思える。

「そいつは売り言葉に買い言葉ってもんだ。兄さん、金助の話ばかり聞くのはえこひいきだぜ」

「何んだとう！」

男は甲走った声を上げた。鉄五郎はそっと道具箱を地面に下ろした。その拍子に男の平手が鉄五郎の頬を打った。

「血の気の多い兄さんだな。乱暴はいけねェよ。おいらの話に聞く耳を持たねェのかい」

冷静な声を出してはいたが、鉄五郎の胸の動悸は高かった。

「どんな話があるってんだ。金助は悔しくて泣いていたんだぜ」

もう一人の間抜けな面をした男が言った。

「その前に、金助はおいらの弥三郎店をやさぐれ長屋だとほざいたのよ。だから、おいらはものの言い方に気をつけろと文句を言ったんだ。弥三郎店がやさぐれ長屋なら、卯三郎店だってうさぎ小屋でもいいってことになりやせんかい」

「うるせェ！　んなことどうでもいい。手前ェは日頃から下らねェご託を並べて面倒臭エ野郎だ。ちょいと痛い目を見て、了簡を入れ替えて貰おうか」

「何んの了簡なんで？」

言った途端、兄貴分の男の腕が伸びてきた。それをひょいと躱すと、鉄五郎は覚悟を決めた。こいつらは束になって自分を痛めつけるつもりなのだ。こういう時、三人を相手にしても勝ち目はない。たった一人、目星をつけた相手だけと勝負するのだ。

その相手とは金助だった。

鉄五郎は金助に足払いを掛けて地面に押し倒すと、左の二の腕に嚙みついた。金助は悲鳴を上げた。通り掛かる人々は恐ろしそうになりゆきを見ている。

二人の男が鉄五郎の頭を殴ったり、蹴ったりしたが、鉄五郎は眼を瞑って嚙みついた力を弛めなかった。だが、突然、男達の手が止まった。おやすの低い声が聞こえたが、鉄五郎はそれを空耳だと思った。

「兄さん、年ばかり喰っても、やることはまるで餓鬼だね。近所迷惑だよ。いい加減、よしにして貰おうか。あたしの言うことが聞けないなら、この刃物を兄さんの首にぶち込むよ。いいのかい。常は莨の葉をじゃきじゃき刻むだけだが、毎度手入れをしているから切れ味はいいんだよ」

空耳ではなかったらしい。おやすは賃粉切りで使う刃物を兄貴分の男の首筋に当てがっていたようだ。

「や、やめろ！　わかったから」

「そうかい、おとなしく言うことを聞いてくれるんだね。鉄五郎さん、もう、手をお離しよ」

おやすは穏やかな声で言った。鉄五郎がようやく金助の二の腕から口を離すと、金助はすぐに反撃に出た。拳骨が鉄五郎の顎に来て、眼から星が出た。

「これが見えないのかい」

おやすは凄む。金助ははっとして手を引っ込めた。

「そのお人は真面目が取り柄の大工さんだ。出る所に出ても、あんたら勝ち目はないよ。ふん、い組の看板を背負っているくせに、ご近所の人間に狼藉を働くのかい。い組が聞いて呆れる。どうなんだ、これからもこんな真似を続けるのかい」

「姐さん、おれが悪かった。金助の話をうのみにしただけだ。勘弁してくれ」

兄貴分の男は震える声で謝った。その時、野次馬の連中から拍手が起きた。本当は人目がなければ、三人は黙っていなかっただろうが、大道で喧嘩沙汰を起こしたのだから分が悪い。おやすが刃物を持った手を下ろすと、三人はすごすごと引き上げて行った。

鉄五郎は地面に座り込んでいた。金助の反撃が効いていた。鉄五郎は唇を切っていた。

「大丈夫かえ」

おやすは鉄五郎を見下ろして訊く。

「大丈夫じゃねェ」

そう言うと、おやすは、ふふ、と笑った。

「こんな時はうそでも大丈夫だ、大したことはねェと応えるもんだ。真面目な男はこれだから困る。ささ、店にお寄りよ。傷の手当をしてやるよ」

「すまねェ」

その時になって賃粉切りの職人は刃物がないことに気づいて、慌てて外に飛び出して来た。

「お嬢さん、勝手に刃物を持ち出さねェで下はいよ」

「悪かったねえ。だけど、鉄五郎さんの身が危なかったんで、こうするより仕方がなかったのさ。徳さん、悪いけど鉄五郎さんの道具箱を中に運んでおくれよ。あたしは傷の手当をするからさ」

おやすは徳蔵という年寄りの職人に刃物を渡して言った。

「あれ、刃物に血がついていますぜ。お嬢さん、ちょいと力が入りやしたね」

「気がつかなかったよ。なに、相手は、ほんのかすり傷さ。大事ないよ」

おやすは涼しい顔で鉄五郎を旭屋に促した。

旭屋の女房のおかねも心配そうに様子を窺っていたので、安心したように鉄五郎の腕を取って、茶の間に招じ入れた。

おやすは濡らした手拭いで鉄五郎の口許を拭くと、その後で軟膏を塗ってくれた。

「迷惑掛けてすんません」

鉄五郎はおかねにとも、おやすにともつかずに礼を言った。

「この子はねえ、思い切ったことばかりして周りを驚かせるんですよ。この子の父親なんて、おやすが男に生まれて来たら店を継がせるのに、と毎度言ってましたよ」

おかねは少し落ち着いた鉄五郎に茶を出しながらそう言った。

「おやすさんがいなかったら、おいら、ぼこぼこにされて仕事は当分、できやせんでしたよ。助かりやした。明日は何んとか仕事に出られそうですよ」

「あんた、幾らなんでも、一日ぐらい休まなきゃ」

おやすは驚いた顔で言う。

「いえ、仕事は休む訳には行きやせん。這ってでも行きやす」

「真面目だねえ。おやすの亭主も鉄五郎さんみたいな人だったら、ずっと夫婦でいられたのに」

おかねは感心した顔で言う。

「小母さん、それは言わない約束だよ」

おやすはおかねを制す。衣紋を抜いた着付けをしているおかねは、どことなく素人離れしていた。やはり吉原にいたという噂は本当かも知れないと鉄五郎は胸で思っていた。

「越中屋もあんな跡取りじゃ、早晩、店が傾くというものだ。鉄五郎さん、この子はね、父親の借金のために越中屋に嫁入りしたんだけど、亭主の悪い癖は止まなかった。それでね、この子ったら、わざとおねしょして困らせたんですよ。越中屋の嫁がおねしょの癖があると知れたら世間体が悪い。越中屋は、借金はいいから出てってくれって。それでこの子は大威張りで出戻って来たんですよ」

途中からおかねは愉快そうな表情に変わった。反対におやすは恥ずかしそうに俯いた。

「おやすちゃん。策を考えたってのは、つまり、そのことですかい」

鉄五郎は、ふと思い出して訊く。

「言わないで！」

おやすは袖で顔を覆う。鉄五郎は笑い声を上げた。おやすは悔しそうに鉄五郎の腕を叩いた。その拍子に身体が悲鳴を上げた。明日は休んだほうがいいかも知れないと鉄五郎はようやく思った。

「こんな時にする話でもねェんですが……」

鉄五郎は低い声で口を開いた。旭屋の亭主の惣八は用事で外に出ていたが、鉄五郎は自分の気持ちを伝える絶好の機会だと思った。

おかねとおやすは何んの話かと、じっと鉄五郎の口許を見ている。

「できれば、おいらはおやすちゃんと所帯を持ちてェと考えておりやす。承知していただけるなら、大家さんに打ち明けて仲人になって貰い、正式にご挨拶に伺いやす」

そう言うと、おやすとおかねは顔を見合わせた。呆気に取られていた。

「て、鉄五郎さん。おやすは出戻りだよ。あんた、それでもいいと言うのかえ」

おかねは早口に訊く。

「気にしません。おやすちゃんはおいらの危ないところを救ってくれた恩人だ。そういう度胸のいいおなごはそうそういない。おいら、はっきり決めやした」

鉄五郎は顔を上げ、今度ははっきりとおやすを見つめた。

「おやす、お前に異存はないだろ？」

おかねは返事を急かす。

「さあてね」

おやすははぐらかした。

「だって、こんないい話はそうそうないよ」

おかねは慌てておやすに言う。

「あたしは鉄五郎さんと違って真面目な女じゃないよ。万事、いい加減なのさ。鉄五郎さんとは合わないと思う」

「いや、おやすちゃんにはおいらにないものがある。おいらのことを真面目な奴だと周りの者は褒めてくれやす。だけど、おいらが真面目なことを言えば言うほど、何んだか呆れられているふしも感じるんですよ。そいつは真面目じゃなくて融通が利かないってことじゃないのかと、この頃、ふっとそんな気もしていやす。だから、おいらは……うまく言えねェんですが、おやすちゃんが傍にいれば、安心できると思って」

「鉄五郎さんが出戻りのあたしを女房にしたいって言ってくれるのは涙が出るほど嬉しいよ。だけど、鉄五郎さんがあたしに世間並の女房を求めているのなら願い下げだ。あたしはあたしだ。今も十年先も気性は変わらない。出戻りだからって遠慮するつもりもないのさ。そこを承知してくれるのなら考えてもいいけど」

おやすは自分の気持ちを正直に言っていた。それが潔いと鉄五郎は思った。

「いいよ、そのまんまで。おいらの気性も変わらねェ。それでぶつかることがあったら、お互げェ、よく話し合おうぜ。おいら、ちゃんとおやすちゃんの話を聞く」

「ああら、めでたい。めでたいな、っと」

おかねが掌を叩いた。それから、今夜はお祝いだ。ご馳走を拵えよう、と腰を上げた。

旭屋で鉄五郎は晩めしを振る舞われた。平目（ひらめ）の刺身に塩鯛の焼き物と、豪華な晩めしだった。ようやく戻って来た惣八も、最初は驚いた様子だったが二人のことには賛成してくれた。

鉄五郎が弥三郎店に戻ったのは夜の四つ（午後十時頃）近かった。蒲団を敷いて横になったが、鉄五郎は眼が冴（さ）えてなかなか眠れなかった。おやすと祝言を挙げるとなれば、さぞ仲間達は驚くに違いない。だが今は、今だけは、しみじみとおやすが女房になるという倖せを嚙み締めていたかった。

何度か寝返りを打った鉄五郎の耳に夜廻りの拍子木（ひょうしぎ）の音が聞こえた。そう言えば、今日は暮六つの鐘を聞いたろうかと、ふと思った。

金助達と喧嘩沙汰を起こしていたので気づかなかったのだろう。あんな大きな鐘の音に気づかないなんてどうかしている。聞きそびれた鐘の音がやけに惜しまれた。だが、と鉄五郎は思い直す。明日も明後日も鐘は鳴るのだ。一度ぐらい聞き逃しても大したことではない。そう自分に言い聞かせると、鉄五郎は不思議に気が楽になった。

「この調子だ」

独りごちて、鉄五郎はようやく訪れた眠気に引き込まれた。

みそはぎ

一

桜が終わり、江戸は本格的な梅雨に入る前の穏やかな日が続いていた。日本橋本石町にある弥三郎店に住むおすぎは、今日も朝から母親の世話に追われていた。

六十になる母親のおまさは十年前からもの忘れの兆候があった。ちょうど、大工をしていた父親が病に倒れ、一年寝ついて亡くなった後ぐらいの頃からだった。最初は父親が死んで生きる張りがなくなったせいだと思っていたが、そうではなかったらしい。

毎日、おまさは探しものをするようになった。紙入れだの、寺参りに持参する数珠だの、風呂敷、合切袋、足袋、木更津にいる妹から届いた手紙だのと。出て来るまで探すので、傍にいるおすぎは、いい加減、いらいらした。どこかに忘れて来たのだろうと、おまさは親しい友人の家に問い合わせに行ったりもした。友人のおよねは、同じ町内で小さな小間物屋を営んでいた。おまさと同い年のせいもあって気が合い、三十年以上のつき合いを続けている。およねの所に行き、自分の家へ帰る道を忘れて迷子になったこともあった。町内には裏店も幾つかあるというものの、まるで見当違いな場所でうろうろしていたのだ。

「年を取ると駄目だねえ」

　おまさは情けない口調で言っていた。おすぎは、たまたま心持ちがおかしかっただけだと、さして気にはしなかった。しかし、買物の途中でおよねの店の前を通った時、およねは待ち構えていたように外に出て来て、おすぎちゃん、あんたに言っておきたいことがあるんだよ、と呼び留めた。品物を買って代金を支払わなかったのだろうかと思ったが、そうではなく、近頃、おまさの様子が少しおかしいから気をつけてやっておくれ、とおよねは言った。辻褄の合わない話をするようになったし、また、同じ話を何度も繰り返すという。他人は案外、人の変化に気づくのが早い。なまじ身内だと、おかしくなったとは思いたくない気持ちが働いてしまう。その時のおすぎも、この小母さん、おっ母さんから何度も小間物を買って貰ったくせに、ひどいことを言うと、腹を立てていた。それでも、ご親切様、気をつけるようにしますよ、と素直に応えた。

おまさが探しものをしなくなったと思ったら、今度は、やたら出歩くようになった。そして帰り道を失念して、他人に送られて戻って来るのだ。それでも、朝と晩の食事の仕度はしていたし、掃除や洗濯も以前と変わらずこなしていたので、おすぎは気にしないようにしていた。気にしたところで、おすぎはどうすることもできなかったからだ。

おすぎは日中、馬喰町の旅籠に手伝いに行き、夜は本銀町の居酒見世「井筒屋」の女中をして稼いでいた。そうでもしなければ、毎月六百文の店賃も払えなかった。おすぎは四人きょうだいの末っ子で、上に兄が二人、姉が一人いた。きょうだいはそれぞれ、よそで所帯を持っている。結局、末っ子のおすぎが、父親が死んでからも弥三郎店でおまさと二人暮らしを続けなければならなかった。おすぎが嫁に行ったら、その時はおれがおっ母さんを引き取るさ、と長男の清吉は言っていた。

その言葉をうかうか信じていたおすぎは甘かった。おまさが外に出た途中で転び、打ち所が悪かったせいで足の骨を折ってしまったことがあった。足の骨が治っても、おまさは満足に歩くことができなくなった。惚けの症状は娘のおすぎにもはっきりとわかった。仕事のあるおすぎは切羽詰まり、清吉に日中だけでもおまさを見てくれと頼むと、とんでもねェと清吉は首を振った。

清吉は小舟町で青物屋を営んでいる。奉公人もおらず、夫婦で商売をしているので、おまさの世話は手に余ると言った。だって、あたしがおっ母さんの世話をしていたら、ろくに働けない、このままじゃ、飢え死にしてしまう。おすぎは金切り声を上げて清吉に喰って掛かった。

他のきょうだいも、それぞれ家族を抱えていたので、おまさを引き取るとは言わなかった。結局、おすぎがおまさの世話をする代わりに他のきょうだいが店賃と毎月の暮らしの掛かりを分け合って届けることが決まった。

そうは言っても、毎月、きちんと届けてくれるのは姉のおまつだけで、他は仕入れの金が工面できないだの、親戚の葬儀があって手許が心細いから勘弁してくれだのと言う始末だった。

弥三郎店の差配（大家）の治助はおすぎに同情して、知り合いの紙屋に声を掛け、ポチ袋の糊づけをする内職を持って来てくれた。

様々な柄のポチ袋を拵えるのは楽しかった。

おまさも調子がいい時は手伝ってくれた。少々、惚けていても、丁寧にやり方を教えればおまさは役に立った。しかし、内職の手間賃は雀の涙である。暮らしの足しになるとは、とても言えなかった。

おすぎはおまさに晩めしを食べさせると、また本銀町の井筒屋へ手伝いに行くようになった。馬喰町の旅籠のほうは辞めざるを得なかった。いつまで、こんな暮らしが続くのだろうか。おすぎは毎日、ため息をついていた。

朝は歯のないおまさのために、おすぎはお粥（かゆ）を拵える。行平鍋（ゆきひらなべ）でお粥を煮ていると、斜め向かいの長屋から、大工の鉄五郎（てつごろう）の声が聞こえた。鉄五郎は最近、所帯を持った。表通りにある「旭屋（あさひや）」という莨屋（たばこや）の親戚の娘だそうだ。だが、その娘は出戻りだという。

「おやす、行ってくるよ。帰りはいつも通りだからね。おやす、今日はいい天気になりそうだ。洗濯があるならさっさと済ませたほうがいいよ」

鉄五郎は機嫌のいい声で女房に声を掛ける。奥から、ぶっきらぼうな返答があった。

「おやす、糠味噌（ぬかみそ）を掻（か）き回すのを忘れちゃいけねェよ。あれはおいらの婆（ばあ）ちゃんが大事にしていた糠味噌だ。腐らせちゃ、婆ちゃんに申し訳ねェからね。ああ、おやす、梅雨の前の青梅のよさそうなのを見つけたら買っといてくれ。少々、値が高くても、いいもんを買うんだよ。それが結局、うまい梅干しになるんだ。わかったかい、おやす」

日に何度、鉄五郎はおやすという名を口にするのだろうか。時々、おすぎは耳障り(みみざわり)で、「わかってるっちゅうねん」と、井筒屋にやって来る上方出身の呉服屋の手代の口調を真似て、独り言を呟(つぶや)いた。別におやすに焼いている訳ではないが、自分も十八歳になると、年頃の男に自然に眼が行く。

あの人は独り者だから、亭主にしたらどうだろうかと考えてしまう。実際には、世話をしなければならない母親がいては、嫁入りなどできない相談なのだが、考えるだけなら誰にも文句は言われない。鉄五郎に好意を持っていた訳ではないが、所帯を持ったとなると、何んとなく心寂しい気がした。

お粥ができ上がると、おすぎは箱膳(はこぜん)を出し、梅干しをひとつ入れた小皿を載せた。それから細かく切った沢庵(たくあん)も添えた。

「おっ母さん、お粥ができたよ。食べて」

そう言うと、おまさは嬉しそうに笑った。

三度のめしだけが今ではおまさの楽しみだった。まだ一人で箸(はし)を持って食べられるからいいが、その内にそれもできなくなるかも知れない。食欲があるから、あんたのおっ母さん、長生きするよ、と裏店の女房どもは気の毒そうに言う。長生きは悪いことなのか、おすぎはこの頃、つくづく考えてしまう。

鉄五郎が出かけると、隣りの左官職人をしている喜助も出かける。喜助の母親も膝が悪くて、外へは出かけられない。喜助は仕事の帰りに煮売り屋でお菜を買ったり、魚屋で魚を買ったりしている。喜助は火の用心をしろと母親のおまきに念を押して出かけた。

喜助は三十五歳になるという。母親のために独り身を通してしまったのだ。自分も喜助の二の舞いになりそうな気がしている。

鉄五郎の女房のおやすは、亭主が出かけると、朝めしの後片づけをし、それから共同の井戸の前に盥を出して洗濯を始めた。

おやすは日中、旭屋の店番をしているので、気が急いている様子だった。旭屋は五つ（午前八時頃）には店を開けるが、家の中のことをしていれば、時間はあっという間に経ってしまう。

「ああ、遅れちゃう。小母さんに嫌味を言われる」

おやすは、ぶつぶつと独り言を言いながら洗濯を続けた。

おすぎは土間口に下り、油障子を開けた。

「おやすさん、急いでいるんだろ？　洗濯はあたしがやってやるよ。どうせ、日中は暇だから」

そう声を掛けると、おやすは驚いた顔になった。所帯を持ったばかりで、裏店の人間達とは、まだそれほど、なじんでいなかった。

「でも、おすぎさんだって、おっ母さんのお世話があるでしょうに」

おやすは気後れした様子で応える。

「遠慮することはないよ。見たところ、それほどたくさんの洗濯物がある訳じゃなし、うちの洗濯をするついでにやるから」

「いいの？」

おやすは上目遣いになって訊く。

「ああ、いいとも。困った時はお互い様だ」

「所帯を持ったばかりだから、ちょっと遅くなると、昨夜は亭主に可愛がられたのかい、って小母さんに言われるのよ」

「おやすさんも大変だ」

「おまけに、うちの人、結構うるさい人で、家の中が散らかっていると、夜中でも掃除を始めるのよ。そういう人だとわかって一緒になったけれど、精が切れるのよ」

おやすは眉間に皺を寄せて困り顔をした。きれいな人だとおすぎは思う。きれいな人はどんな表情をしてもきれいだ。

「わかる、わかる。でも、せっかく見つけたご亭主だ。大事にしなけりゃ」

おすぎは慰めるように言った。

「ありがとう、おすぎさん。恩に着ます」

おやすは胸のところで両手を合わせ、それから、ばたばたと仕度をして出かけた。

おまさに出した残りのお粥を掻き込み、汚れた食器を洗うと、おすぎも洗濯をするために井戸端に行った。その頃になると、井戸端では裏店の他の女房達も、お喋りをしながら、洗濯をしたり、青物を洗ったりする。皆、亭主が仕事に出て、ほっとしたような表情である。弥三郎店の亭主達は、棒手振りの青物売りだの、大工職人だの、左官職人、錺職人、呉服屋で通いの手代をしている者など様々だ。仕事は様々でも、金のないのは一緒である。暮らしぶりにも、さほど違いはなかった。

「鉄五郎さんのおかみさん、洗濯を放り出して旭屋に行っちまったみたいだね。どうするんだか」

錺職人の女房のおときが呆れたように言った。

「ああ、おやすさんは急いでいるみたいだったから、あたしが引き受けたのよ」

おすぎは盥に井戸から汲んだ水を入れながら言った。

「人がいいこと。おすぎちゃんはおっ母さんの世話もあるというのに」

「おやすさんは、出かけるのが遅くなると、旭屋のお内儀さんに、昨夜は亭主に可愛がられたのかいって嫌味を言われるそうなの」

おやすを庇って言うと、傍にいた女房どもは愉快そうに声を上げて笑った。

(下品な人達)

おすぎは言えない言葉を胸で呟き、洗濯物に灰汁水をなすりつけた。灰汁水をつけると汚れは落ちるが、手が荒れる。おすぎの手も荒れていた。寝る前に味噌を擦り込んでいるが、さして効果はなかった。

自分の家の洗濯物に始末をつけると、おすぎは、おやすの洗濯物に掛かった。鉄五郎の下帯と肌襦袢、おやすの赤い蹴出し(腰巻)、それに手拭いが三本。新婚夫婦らしい洗濯物だ。自分もいつか亭主の下帯を洗う機会が巡って来るのだろうかと、ふと思う。

おやすの家の前に設えてあるもの干し棹に洗濯物を干し、盥も水気を切って傍に立て掛けた。やれやれ、ようやく終わったと吐息をついた時、喜助の母親のおまきが、よろよろと外に出て来た。

「小母さん、厠かえ」

おすぎが声を掛けると、おまきは、今日は膝の調子がいいんで、洗濯しようと思ってさ、と応えた。そうは言っても、おまきは、しゃがむのも容易でない。

「無理だよ、小母さん。喜助さんにやって貰ったら？」

「倅は仕事が忙しくて、近頃は帰りも遅いのさ。とてもそんな暇はないよ」

「もう……」

おすぎは、あたしがやるからと、苛立った声で言った。他の女房達も、さすがに三軒分の洗濯をするおすぎが気の毒で、手を貸してくれた。皆でやると、洗濯もあっという間である。おまきは、ありがとよ、と何度も礼を言った。

二

夜の六つ半（午後七時頃）に井筒屋へ出かけ、見世を手伝い、帰るのは町木戸が閉まる四つ（午後十時頃）になる。疲れるが、これで店賃の支払いが滞りなくできるので、少ない給金でも文句は言えない。それに井筒屋の主はおすぎの家の事情がわかっているので、おまさが特に具合の悪い日は悪い顔をせずに休ませてくれる。それもありがたかった。

井筒屋は近所の男達が集う居酒見世だ。鉄五郎は近頃、滅多にやって来なくなった。おやすと差し向かいで晩めしを食べるのだから井筒屋の出番もないのだろう。姿の見えない鉄五郎のことを、時々、客達はなかよくやっているようだね、と噂している。井筒屋の主の為五郎は上客が一人減ったので、鉄五郎の話が出ると、おもしろくない顔になる。

喜助はいつも晩めしの後に訪れる。寝る前のひと時、井筒屋の常連客達と話をするのを楽しみにしていた。

その夜、喜助は顔見知りの常連に挨拶する前に、板場の近くで盆を持って立っていたおすぎの傍にやって来て「今日は、洗濯をしてくれたんだってね。ありがとよ」と、礼を言った。

「ううん、他のおかみさん達にも手伝って貰ったから、お礼には及ばないよ。喜助さんは仕事が忙しくて大変みたいね」

おすぎは笑顔で応えた。喜助は一人息子のせいで、両親からたっぷり可愛がられて育ったが、きょうだいがいないので、お八つでも、晩めしのお菜でも争って食べたという経験がないそうだ。そのせいで鷹揚と言えば聞こえはいいが、どことなく覇気に欠けているように見える。今でも左官職の親方に無理な仕事を押しつけられて、損ばかりしていると言っていた。

喜助の父親も腕のいい左官職人だったが、喜助と同じで人を押しのけてまで出て行く男ではなかった。一生、手間取りの左官職人のままだった。

「どうだい、おすぎちゃんのおっ母さんの様子は」

店座敷に座り、酒と冷奴(ひややっこ)を注文した喜助は心配そうに訊く。

「うん。おんなじよ。よくも悪くもない。でも、その内に一人でごはんを食べられなくなるんだろうなって思うこともあるよ」

「年寄りは骨なんて折ると、あっという間に弱るよな。うちのお袋も膝が痛いと言っていたと思ったら、たちまち膝を折って座れなくなっちまったのさ」

「でも喜助さんのおっ母さんは頭がしっかりしているから、まだいいほうよ。うちのおっ母さんなんて、訳のわからないことを、しょっちゅう喋っているんですもの」

「うちのお袋は、おれに嫁が来ない内は死なれねェと言っているのさ。なあに、から元気よ」

「そう、早くおかみさんが見つかるといいね」

おすぎはお愛想のつもりで言った。

「おすぎちゃんのような娘が来てくれるんなら、大助かりなんだが」

喜助はそんなことを言った。あら、とおすぎは呆気(あっけ)に取られた。喜助は三十五にもなるので、おすぎは自分の亭主にしたらどうかなど、考えたこともなかった。だが、喜助はそうでなかったらしい。恨めしそうな眼でおすぎを見ている。

「あたし、おっ母さんの世話で精一杯なの。喜助さんのおかみさんになる人は、よそを当たって」

居酒見世の女中をしていれば酔客に言い寄られることもある。うかうかと客の誘いに乗って、ひどい目に遭った女の話は、おすぎもよく聞いていた。喜助におすぎを弄ぶ魂胆はないようだが、それにしても井筒屋に飲みに来たついでにする話ではないだろう。常連客でそんなことを言って来た者はいなかった。

「隣り同士だから、色々、都合がよくねェか？　困った時はお互げェ、手を貸せるし」

喜助はおすぎの気持ちも知らず、笑顔で話を続ける。

（ま、図々しい）

年寄りの世話を二人分するなんて、まっぴらである。おすぎはさり気なく喜助の話を躱した。

だが、その夜、喜助は見世の看板まで井筒屋に居続け、帰りは一緒に帰る羽目となってしまった。

喜助はやけに強引だった。自分が月に稼ぐ給金の額をおすぎに教えて、いずれ、親方を張るつもりだなどと言う。おすぎがその気になってくれたら、今からおすぎの所の店賃を払ってやってもいいとまで言った。挙句に弥三郎店の門口を潜った時、手を握ろうとしたのだ。おすぎは短い悲鳴を上げ、慌てて自分の住まいに戻り、しんばり棒を支った。

胸がどきどきした。きょうだいからの援助もさほどなく、井筒屋に手伝いに行かなければ暮らしが立ち行かないおすぎの足許を喜助は見ているのだ。悔し涙がこぼれた。

喜助は鼻唄をうたいながら油障子を開け、流しの水瓶から水を飲んでいる様子だ。裏店の壁は薄いので、もの音は筒抜けである。洗濯なんてしてやらなければよかったと後悔した。喜助に余計な期待を持たせてしまうことになったからだ。力なく部屋に上がると、おまさの寝言が聞こえた。

「盂蘭盆には、お寺に行って、お参りして、あれ、住職さん、今年もみそはぎがきれいに咲いていること……」

檀那寺は浅草の新鳥越町にある。田圃の傍に建っているので、寺から見える畔道に、いつもたくさんの野の花が咲いていた。みそはぎは盂蘭盆の頃に咲く花で、ために盆花、精霊花、水掛け草とも呼ばれる。赤紫色の花が群生する景色は一度見たら忘れられない。そうか、おっ母さんは、みそはぎが好きだったのかと、おすぎは思った。口許に笑みを浮かべているおまさは童女のようだった。

眠っている時は童女のようなおまさが悪鬼に変わるのに時間は掛からなかった。

おまさはとうとう、下の世話もしなければならない身体となってしまった。おまけに時々、奇声を発して喚くようになった。

知らせを受けてやって来た姉のおまつは、油障子を開けて中に入った途端、袖で鼻を覆った。

「ものすごく臭い。何食べて、こんなに臭くなるんだか」

おまつは憐れな母親と強烈な部屋の臭いに涙を溜めた眼で言った。

「どうしよう、姉ちゃん」

おすぎは不安そうにおまつの顔を見た。

「どうしようと言われても、どうしようもないじゃないか。皆んなで世話をするしかないよ」

おまつは若い頃のおまさとよく似ていた。たっぷりと肉のついた腰回りが、その時のおすぎには頼もしかった。

「小舟町の兄ちゃんは、おっ母さんが足の骨を折った時も知らん顔したのよ。当てになんてできないよ。ここにやって来るのも、今じゃ姉ちゃんだけだもの」

おすぎは情けない顔で言った。

「わかった。この間、無尽のお金が入ったんだよ。与助に紋付羽織を誂えるつもりだったけど、それは後回しにして、この際、おっ母さんのために遣うよ」

おまつは決心を固めた顔で応えた。与助とはおまつの十二歳になる長男のことだった。おまつの亭主は田所町の「富田屋」という質屋の番頭をしており、住まいもその近所にあった。与助もその質屋で一緒に小僧をしている。

「お医者さんに診て貰うの？」

「近所の藪に何ができるって。うちの近所に下の世話をしてくれるお婆さんがいるのさ。今まで何人も寝たきりの年寄りの面倒を見て来た人だ。一日中という訳には行かないが、夕方に来て貰って、おむつを取り替えて洗濯して帰って貰うのさ。それだけでもお前、助かるだろう？」

「うん、助かる。それだと井筒屋を辞めなくて済むし」

「とり敢えず、無尽のお金のある内は通って貰うよ。その後は……その時になってから考えよう」

「うん……」

「くよくよするんじゃないよ。こうなりゃ、腹を括るしかないんだからね」

「ありがと、姉ちゃん。姉ちゃんがいなかったら、あたし、大川に身投げしていたかも知れない」

「縁起でもないことをお言いでないよ。どうにかなると思っていれば、どうにかなるんだし」

「うん、それとね……」

おすぎは隣りの喜助が言い寄って来ていることをおまつに相談した。

「三十五にもなって十八のあんたと一緒になりたいって？　男は幾つになっても男だね。若い娘ばかりに眼をつける。そのことだけどね」

おまつは改まった顔でおすぎを見た。

「富田屋と懇意にしている質屋に独り者の手代がいるんだよ。年は二十五かな。客に対して愛想がよく、もちろん、商売熱心だ。お前、職人よりもお店奉公する人にお嫁に行きたいと言っていたじゃないか」

そんな話を姉にしたことがあっただろうか。おすぎは、すっかり忘れていた。だが、今は縁談どころでない。おまさの世話が肝腎なのだ。

「ありがたいお話だけど、今はその気になれないよ」

おすぎは低い声で言った。

「そうだね。でも、おっ母さんのことにけりがついたら、考えておくれよ。お前も年頃なんだし」

「姉ちゃん、けりがついたらって、どういうこと？」

おすぎは睨むようにおまつを見た。

「ごめん、つい口が滑った。それでね、喜助さんにはそういう縁談があるからって、やんわりと断るんだ。いいね」

おまつはとり繕うように言うと、そいじゃ、あたしはこれで帰るよ、早ければ明日の夕方にでも世話をするお婆さんを寄こすから、と言って、そそくさと帰って行った。

三

おまつに頼まれてやって来たおしけという女は、おまさよりかなり年上に見えた。

腰も曲り掛けている。大丈夫だろうかと、おすぎは心配になった。

「お婆ちゃん、年は幾つ？」

かいがいしくおまさの下の始末をするおしけに、おすぎは訊いた。

「わたい？　七十だよ。あんたのおっ母さんより年上だ。何んだい、こんな年寄りじゃ頼りにならないと思っているのかえ」

見掛けに寄らず、口は達者だった。

「ううん、そんなことない。おっ母さんに比べたら、とても元気なので驚いただけ」

おすぎは慌てて言った。おまさは、いつもと調子が違うので奇声を上げた。

「この人は何か気懸りがあるんだろうね。すんなりお陀仏にならないところは」

おしけはおまさを見ながら言った。

「気懸りって？」

「そりゃあ、あんたのことだろうよ。自分の世話で嫁に行きそびれている娘を案じているのさ」

おしけはおすぎの事情をおまつから聞いていたらしい。おまさを人として見てくれるおしけの気持ちがありがたかった。それにおしけの手際は鮮やかだった。上手におまさの身体の向きを変え、あっという間におむつの交換をする。それから寝間着の前を合わせ、どうだえ、さっぱりしたかえ、とおまさに訊く。

うんとは言わなかったが、おまさの奇声は治まっていた。

「今まで何人も、おっ母さんのような人の世話をして来たのですってね」

「ああ、そうさ。たとい、大事な母親でも下が弛(ゆる)んだんじゃ、どうしようもない。世話をする人も、されるほうも不幸なことだ。そこで、わたいが少しでも手助けしてやれば、子供達の気持ちが楽になると思ってね」

「おっ母さんは自分を不幸だと思っているのかしら」

もはや、おまさは当たり前の感情すら持ち合わせていないと思っていたので、おしけの言葉は意外だった。

「もちろんだよ。おなごの大事な隠しどころを晒(さら)しておむつを換えて貰うんだからね。それだけは手前(てめ)ェでやりたいと思っていても、身体が言うことを利(き)かない。あんたのおっ母さんは、さぞ悔しい思いをしているだろう」

「そうね、その通りね」

言いながら、おすぎは不覚にも涙がこぼれた。おしけは、そんなおすぎを憐れな眼で見ながら、ひとつ、いいことを教えてやろうと言った。

「何んですか」

「下の世話をした者は、手前ェの下の世話を人にされずに済むのさ。わたいの知っている限りは、皆、そうだ」

「嬉しい。少なくともあたしはそうならないってことね」

おしけの言葉は大いにおすぎの励みになった。

「くよくよしちゃ駄目だよ。また、先のことを考えても駄目だ。いつまで続くのかと考えたら気持ちがおかしくなるからね。今日一日、無事に済んだらいいことにするんだ。それと、病人をがんがん叱らず、できるだけ優しい言葉を掛けておくれ。おっ母さんの喚きも、その内に治まるだろう」

おしけはなかなかの人物だった。それが人の嫌がる仕事をして身につけた知恵なのだろうか。

最初の一日だけでも、おすぎはおしけから教えられることが多かった。心の内で姉に感謝していた。

おしけがおむつの後始末をして帰り、おまさに晩めしを食べさせ、おすぎがそろそろ井筒屋に出かけようとしていると、おやすが笊に青物を載せてやって来た。

「おすぎさん、うちの人の妹が青物を届けてくれたの。少しお裾分け」

おやすは笑顔で言った。

「まあ、ありがとうございます」

取り立ての葛西菜の緑が鮮やかだった。

「小母さん、落ち着いて眠っているようね」

おやすは蒲団に眼を向けて言う。

「ええ。姉ちゃんがおむつの交換をしてくれる人を寄こしてくれるので、あたしもいらいらが少し減ったのよ。おっ母さんもようやく落ち着いたみたい」

「おしけ婆さんに頼んだのね。あの人はいい人だ」

おやすは訳知り顔で言った。

「知っていたの？」

「ええ。有名ですもの。あの人、独り暮らしなのよ。息子さんが一人いたのだけれど、言い交わしていた娘に振られ、自害してしまったそうなの。一時はおしけ婆さんも、息子さんの後を追おうとしたほど思い詰めたそうだけど、お寺のお坊さんに諭され、今の仕事を始めるようになったのよ」

「それが息子さんの供養になると思って？」

「多分……」

「もしもの時は、どうなるのかしら」

おしけの行く末が俄に心配になった。

「近所の人がそれとなく気をつけているようだし、檀那寺には永代供養のためのお金を納めているから、何んにも心配することはないそうよ」

「強い人ね。あやかりたいものですよ。あたしはおっ母さんがこうなってしまって、おろおろするばかりだから」

おすぎは空いた笊を戻しながら言った。

「ねえ、おすぎさんは、お隣りの喜助さんと一緒になるの？」

おやすは気になっていたらしく、そんなことを訊いた。

「あたしが？　とんでもない」

そう応えると、おやすは二、三度、眼をしばたたき、上がり框にそっと腰を下ろした。おすぎも傍に座って怪訝そうにおやすを見た。

「喜助さんのおっ母さん、おすぎちゃんに末は面倒を見て貰うつもりだから、安心だよと言っていたのよ」

「どうしてあたしが」

「だから、それは喜助さんと一緒になるという意味だろうと、あたしは思ったの。長屋のおかみさん達もそう思っているみたい」

どうして、そんな話になったのだろうか。おすぎは先日、井筒屋で喜助と交わした話をおやすに言った。手を握られそうになったのは、はしょったけれど。

おやすは苦笑して、喜助さん、自分で勝手にそう思っているだけなのね、と得心の行った顔になった。

「井筒屋の手伝いをしている時は、お客さんにお愛想しなければならないじゃない。それを喜助さんは勘違いしたのかしら」

自分の知らない間に話が進んでいるのが、おすぎには解せなかった。

「そうなんでしょうよ。がつんとひと言、言ってやればいいのだけど、でも、客商売となれば、そうも行かないでしょうし」

「いやだ。おっ母さんの世話で気が滅入っているのに、これ以上、余計なことで悩みたくないよ」

おすぎはくさくさした表情で言った。

「わかった。おかみさん達には、あたしからそれとなく話しておきますからね」

「ありがとう、おやすさん」

おすぎが頭を下げると、時の鐘が暮六つを知らせた。あら、大変、うちの人が帰って来る、おやすは慌てて腰を上げ、そそくさと自分の住まいに戻って行った。

おやすが帰ると、おすぎは猛烈に腹が立った。喜助は、悪い男ではないが、おすぎの気持ちも知らず、手前勝手な話をおまきにしていたのが許せなかった。

その夜、喜助は井筒屋にやって来たけれど、おすぎは別の女中に任せて、喜助の傍には近寄りもしなかった。

しかし、喜助の恨めし気な表情を見ていると、おすぎは何んだか意地悪をしているようで気が咎めた。だからと言って、自分の周りにいるおすぎを手っ取り早く連れ合いにしたがる喜助の気持ちは、相変わらずわからなかった。井筒屋の帰りも、喜助と一緒にならないように気を遣った。

翌日は朝からよく晴れていた。鉄五郎は、いつものように、おやすにあれこれと言葉を掛けて仕事に出かけて行く。もうすぐ、恒例の梅干し作りが始まる。時々、分けて貰うが、とても味がよく、弥三郎店の女房達にも評判がよかった。

喜助もおまきに火の用心をするよう念を押して出かけた。

おすぎは朝めしの後片づけをすると、洗濯物を抱えて井戸端に行った。女房達と朝の挨拶を交わし、井戸の水を盥に入れた時、おまきが住まいから出て来た。洗濯物を小脇に抱えている。おすぎはそしらぬ振りで洗濯を始めた。ところが、おまきはおすぎの傍に立つと、自分の所の洗濯物をどさりと置いて、おすぎちゃん、悪いけど、洗濯しておくれ、と命じた。おまきの態度は有無を言わせぬ感じがあった。おすぎはつかの間、何んと応えてよいかわからず、じっと手許を見つめたままだった。傍にいた女房達も顔を見合わせたが、錺職人の女房のおときが、その場の雰囲気を和らげるように「あたしらが手分けして、やってやるよ」と、言った。

「いいや、他の人に迷惑は掛けられない。ここはおすぎちゃんに頼むよ」

おまきの言葉におすぎの胸は怒りで破裂しそうだった。きッとおまきを睨み、小母さん、どうしてあたしが小母さんの所の洗濯をしなくちゃいけないんですか、と切り口上で言った。おまきは眼を丸くした。

「どうしてって、おすぎちゃんは、うちの倅と一緒になってくれるんだろ？　隣り同士だから、洗濯ぐらい、今からしてくれたって罰は当たらないだろう」

「小母さん、勘違いしないで。あたし、喜助さんと一緒になる約束なんてしてません！」

おすぎは甲高い声を上げた。

「それじゃ、うちの倅がうそを言っているというのかえ。おすぎちゃんは、おっ母さんの世話で大変だけど、それもいつかは終わる。そうしたら、今度はあたしの世話をしてくれると言ったんじゃないのかえ。倅はそう言っていたよ。あたしはありがたくて、天にも昇る心地だったのさ。倅がいそいそと井筒屋へ通うのも、おすぎちゃんのためだったんじゃないかえ。あんた、井筒屋の売り上げを伸ばすために倅を騙したのかえ。恐ろしい娘だ」

おまきは興奮して、声を震わせた。おまきの話は、まるでその通りのように女房達には聞こえただろう。女房達はひそひそと囁き声を交わした。

「そうだったのかえ？」

女房の一人が別の女房に確かめている。

「いや、あたしもはっきりしたことはわからない。まさか、隣り同士で騙したり、騙されたりはないだろう」

真偽のほどを女房達は思案していた。

「おまけに」

おまきは言いながら、おすぎの肩をどやした。

「店賃を払ってくれと倅に言ったんだってね。図々しい」

「あたし、そんなこと、ひと言も言ってません！」

悔しさで涙が込み上げた。

「倅に店賃を肩代わりさせる代わりに下の世話をする婆さんを雇ったんだろう。そうじゃなかったら、喰うや喰わずの暮らしをしているあんたに、婆さんを雇えるはずもない。ふん、手前ェが楽をしたいばかりに」

どうして、そんな理屈になるのだろうか。おすぎは両手で顔を覆い、泣くばかりだった。

女房達は、ま、いいから、ここはあたしらに任せて、とおまきの洗濯物を洗ってくれた。

どこかへ行ってしまいたい。いや、もう生きていたくない。おすぎはつくづく人生がいやになっていた。

四

おすぎは井筒屋にやって来た喜助に、小母さんにつまらない話をしないでくれと言った。

喜助は「年寄りだから早合点(はやがてん)したんだよ。いや、悪かった」と謝ってくれたが、本当にそう思っていたかどうかは定かでなかった。

喜助は伊達(だて)に年を取っていない。世の中の理屈と言おうか、駆け引きと言おうか、そういうものを心得ている。謝っておきながら、盂蘭盆は仕事が休みになるから、おすぎちゃんの家の墓参りにつき合うよ、おすぎちゃんのご先祖様に挨拶しておかなきやな、と笑顔で言った。応える気にもなれなかった。迂闊(うかつ)にありがとうございます、などと言ったら、喜助はまた、あることないことを、おまきに吹き込むだろう。

ただ、喜助がおすぎに言い寄っている様子は井筒屋でも目立つようになり、主の為五郎は、それとなく、うちは娘の色気で売っている見世じゃない、そういうつもりなら、よそへ行ってくれと、釘(くぎ)を刺してくれた。

おまさはもう、言葉もろくに喋られず、虚(うつ)ろな眼で天井を眺めているだけだった。毎日やって来るおしけは、だいぶ弱っているから、後は時間の問題だと、おすぎに覚悟を促した。

おっ母さんは死ぬのだろうか。俄には信じられなかった。だが、おまさは時々、息をするのも忘れたような表情になる。おすぎはその度に、おっ母さん、息をするのよ、と声を掛けていた。おまつも頻繁(ひんぱん)に弥三郎店に様子を見に来るようになった。他のきょうだいにもおまつから知らせが行っているはずだが、見舞いに来る者はいなかった。

井筒屋に見慣れない客が来るようになったのは、江戸が梅雨に入った頃からだった。

お店者ふうの若い男は、最初は店座敷の隅で静かに酒を飲んでいるだけだったが、何度か通って来る内に、おすぎも気軽な言葉を掛けるようになった。

「お客様のお住まいは、この近所ですか」

最初の一杯だけ、酌をすることにしている。おすぎは酌をしながら、さり気なく訊いた。

「近所と言えば近所になるのかな。八丁堀の坂本町にヤサ（家）があるんですよ。奉公している所もその近くです」

「まあ、そうなんですか。でも、八丁堀なら、近くにもこの手の見世があるでしょうに」

「それはそうなんですが、お姉さんから何か聞いていませんか」

若者は気後れした表情で訊いた。張り出た額に愛嬌がある。縞の薄い袷に献上博多の帯をすっきりと締めていて、恰好も見苦しくない。年の頃、二十歳を幾つか過ぎているようだ。

「何んでしょうか」

すぐにはピンと来なかった。だが、実は自分は富田屋さんの同業の店で手代をしている銀助（ぎんすけ）という者だと明かした。あっと思った。

おまつが勧めていた縁談の相手が、わざわざ井筒屋まで来てくれたのだと気づいた。その途端に、ぽっと顔が赤くなるのが自分でもわかった。

「わざわざありがとうございます。姉からお客様のことは聞いておりましたが、何しろ寝たきりの母親を抱えておりますもので、どうにも身動きができずにいたものですから、お返事もせずにご無礼致しました」

「ああ、そのことですが、実は手前の母親も半年ほど寝ついて亡くなりました。その間は地獄でしたね。手前は、直接看病はしなかったのですが、一緒に住んでいた嫂（あによめ）は夜も昼もないような毎日を送っておりました。おしけ婆さんにも何度か助けていただきましたよ」

銀助は昔を思い出すように遠い眼をして言った。

「そろそろ、手前も身を固める年頃になりましたが、どうにもその気になれずにおりました。嫂のような苦労はさせたくないという思いが強かったのですよ。もう、そんな心配はなくなったのですがね。そんな時、富田屋の番頭さんが用事でうちの店に来た時、おすぎさんの話をしたんですよ。番頭さんは手前とおすぎさんが年頃だからちょうどいいと思われたんでしょうが、手前はおすぎさんが母親の世話をしているというところに心が惹かれました」

銀助は淡々とした口調で続ける。おすぎが年頃だからではなく、母親の世話をしていたから銀助はその気になったらしい。今までの苦労が報われたような気持ちがした。だが、それだからと言って、銀助に色よい返事をするのは躊躇われた。おまさがいる限り、一緒になるのはできない相談だ。

銀助はおすぎの気持ちを慮っているかのように、手前はいつまでもお待ちしております、と低い声で言った。胸がいっぱいになったおすぎは、黙って頭を下げるばかりだった。

井筒屋から帰り、眠っているおまさの傍に座ると、おすぎは喜びを嚙み締めながらおまさに話し掛けた。

「おっ母さん、あたしの亭主になってくれる人が現れたよ。真面目な人だよ。質屋の手代をしているんだって。あら、奉公しているお店の名前を訊くのを忘れちまった。あたしったら、ぽうっとして、どうかしていたみたい。おっ母さんの世話をするあたしが気に入ったそうよ。おっ母さん、ありがとう。これもおっ母さんのお蔭だよ。お嫁に行ったら、今度は八丁堀に住むのよ。八丁堀ってどんな所かな。奉行所のお役人がたくさん住んでいる町だけど、普通のお店もあるんだよ。でも、それはまだ先の話。おっ母さん、あたしのことを心配しているんだろ？　もう大丈夫だからね。身体が不自由でも、長生きしてね。あたし、おっ母さんの世話は、ちっとも苦にならなくなったから」

おすぎの話がわかったのだろうか。おまさは一度だけ、こくりと肯いたような気がした。

毎日毎日、しとしとと雨が降る。梅雨が明けなければ夏はやって来ないというものの、おすぎはいい加減、うんざりしていた。洗濯物は乾かず、家の中に縄を渡して、簾のように洗濯物を下げているありさまだった。

鉄五郎や喜助のようにお天気次第で仕事をしている弥三郎店の男達も、毎日、重く雲が垂れ込めた空を見上げてため息をついていた。

台所の煙抜きの窓から外を眺めても、いつもは井戸端に集まる女房達の姿はない。だが、視線を鉄五郎の住まいに向けると、油障子が開いていた。まめな鉄五郎は土間口を掃除した後、仕事で使う道具の手入れをしている様子である。おやすは旭屋に出かけている。おやすがいなくても、鉄五郎は、じっとしていない。おやすが鉄五郎に精が切れると言っていたことも少しはわかる気がした。

がらりと油障子が開いた。誰だろうと土間口に顔を向けると、喜助が突っ立っていた。

「何んでしょうか」

おすぎは不機嫌な表情の喜助に訊いた。

「お前ェ、八丁堀の質屋の手代と一緒になるんだってな」

「知りませんよ」

咄嗟におすぎはそう言った。

「よくもおれを虚仮にしてくれたもんだ。隣り同士だからって甘ェ顔を見せてりゃ、つけ上がって、このう！」

喜助は怒りが漲った顔で言う。そんな顔を見たのは初めてだった。銀助のことは、まだ誰にも話していなかった。おまきが壁に耳を当てて盗み聞きしたのだろうか。ぞっと背中が粟立った。

「あたしが何をしたって言うんですか。喜助さんが勝手に自分の都合のいいように考えていただけじゃないですか」

「何んだとう！」

「あたしは喜助さんのおかみさんになるつもりなんて、これっぽっちもありませんよ。いい加減にして下さい」

「おれは母親を抱えて苦労しているお前ェを可哀想だと思ったから、倖せにしてやろうと決心したんだ。そんなおれの気持ちも知らず、よその男に色目を遣いやがって、太ェあまだ」

「あたしは喜助さんに倖せにして貰わなくても結構です。迷惑ですから、これ以上、おかしなことは言わないで」

そう言った途端、おすぎは喜助に後ろ襟を摑まれ、外に引き摺り出された。おすぎは悲鳴を上げた。

「おっ母さん、おっ母さん、助けて。喜助さんがひどいことをするのよ」

身動き取れないおまさでも、そんな時、縋る相手は他にいなかった。おすぎの声に応えるようにおまさは、しばらく鳴りを鎮めていた奇声を発した。

おすぎを助けに来たのは、向かいの鉄五郎だった。喜助の腕を押さえ、やめなせェと厳しい声で言った。

「鉄ちゃん、こいつは太ェあまだ。痛い目に遭わせなけりゃわからねェのよ」

「おすぎちゃん、喜助さんに何をしたんだ」

鉄五郎は怪訝な顔でおすぎに訊いた。雨は降り続いていた。着物は泥だらけになってしまったし、髷も崩れてぐずぐずだった。

「あたし、訳がわからない。どうしてあたしが喜助さんのおかみさんにならなきゃいけないのか」

おすぎは涙声で言った。

「そういう話になっていたのけェ?」

事情を知らなかった鉄五郎は喜助に訊いた。

「おうよ。井筒屋に行くとな、こいつはまんざらでもねェ顔をしていた。おれは脈があると見て、あれこれ気を遣ったのよ。ところが、こいつはおれの気持ちも知らず、よその男に色目を遣いやがったのよ。こっそり所帯を持つ約束もしていたらしい。こうなりゃ、今まで井筒屋で遣った銭は返して貰わにゃならねェ」

興奮した喜助の話を聞いて、鉄五郎はようやく喜助の独り合点だと思ったらしい。

「おすぎちゃんは喜助さんが井筒屋の客だからお愛想をしただけだよ。おすぎちゃんは笑顔がいいからね。その気になるのもわかる気がするよ。だが、喜助さん、おすぎちゃんはどうやら喜助さんと一緒になるつもりはないようだ。ここは男らしく、すっぱりと諦めたほうがいい。飲み喰いした銭を返せとは、幾ら何んでも言い過ぎだ」

鉄五郎はやんわりと喜助を諭したが、喜助は了簡しなかった。今度は鉄五郎に殴り掛かった。騒ぎに気づき、弥三郎店の他の店子達も油障子を開けて様子を見ている。青物屋が慌てて門口へ向かったのは、このままでは収拾がつかないと思い、自身番にいる岡っ引きを呼びに行ったのだろう。間もなく、岡っ引きと差配の治助が駆けつけ、喜助は自身番に連行された。

喜助の母親のおまきは気が触れたように、おすぎのせいだと喚いていた。おすぎは身体の震えが止まらなかった。自分が何をしたというのか。何が悪かったのか。その答えがわからなかった。

「おまささん！」

おときの甲高い声に自分の住まいに眼を向けると、おまさが土間口に這い出ていた。身動き取れないおまさが、そこまで出ていたのが信じられなかった。おっ母さんは正気を取り戻したのかと、おすぎは一瞬、思ったほどだ。おまさは右手に出刃包丁を握っていた。

「おすぎに手を出すな！」

おまさは声を振り絞って出刃を握った右手を振り上げた。だが、耐え切れずに腕を下ろし、そのまま動かなくなった。

「おっ母さん！」

おすぎは、びしゃびしゃと水音を立てておまさに駆け寄った。だが、おまさはぴくりともしなかった。

「向こうに逝っちまったようだね」

女房達の誰かの声が後ろで聞こえた。おすぎは信じられず、おっ母さん、おっ母さんと、おまさの身体を揺すり続けた。

五

あの後のことを、おすぎはよく覚えていない。弥三郎店の女房達が手分けして、おまさを蒲団に寝かせ、田所町のおまつの所には鉄五郎が知らせに行ってくれたようだ。

だが、おすぎは濡れた着物を着替えるのが精一杯で、何もする気になれなかった。台所の板の間に放り出した濡れた着物を見ながら、ああ、洗濯しなけりゃと思ってはいたが、身体が動かなかった。頭には、おまさの最期の姿があった。おまさはおすぎを助けるために信じられない力を出して、出刃を握り、土間口までやって来た。そんなおまさの気持ちがありがたくも切ない。涙ばかりが流れた。

　その間にも弥三郎店の女房達はくるくると動き回り、弔い(とむら)の準備を始めていた。おすぎも手伝おうとすると、あんたは座っていなさいと、制した。気が抜けたおすぎに皆、同情していた。

　午後になって雨がやんだ。台所の板の間にあった着物は、いつの間にか誰かが洗濯してくれたらしい。それにも気づかなかった。

　家の中を片づけると、女房達は車座になっておまさの死装束(しにしょうぞく)を縫い始めた。それはおまつが携えて来たものだ。

　おまつは、おまさの死に顔を見て、少し泣いたが、後は存外にさばさばしていた。

檀那寺に知らせをやり、翌日の夜は通夜となった。

　枕許に経机(きょうづくえ)を置き、そこに蠟燭(ろうそく)と線香を用意しただけだったが、弥三郎店の店子(たなこ)達は喜助のところを除いて、皆、お参りしてくれた。

　銀助も知らせを受けて来てくれた。銀助は言葉少なに悔やみを述べ、おすぎさん、長い間、ご苦労様、と労をねぎらった。

　おやすはひと抱えもある仏花(ぶっか)を持って来てくれ、狭い部屋は花の匂いと線香の香りでむせ返るようだったが、お蔭でおまさのおむつの臭いは消えていた。その花の中にみそはぎはなかった。

みそはぎ、みそはぎ。おまさが気にしていた花の名前をおすぎは僧侶の読経の間中、胸で呟いていた。

おまさが亡くなって、さほど時間が経たない内に江戸は盂蘭盆を迎えた。おまさにとっては新盆である。

浅草・新鳥越町にある檀那寺に同行してくれたのは、喜助ならぬ銀助だった。喜助はあれから母親を連れて他の裏店に引っ越して行った。あんな騒ぎを起こしたのだから、弥三郎店にはいられなかったのだろう。おまさの死も相当こたえた様子だった。

裏店のつき合いは難しいと、おすぎはしみじみ思う。長年、一緒の所で暮らし、誰もが親戚のように感じていた。井戸替えやどぶ浚いも力を合わせてやって来た。そればかりでなく、お菜のやり取り、味噌や醬油の貸し借りも気軽にしていた。

喜助もおすぎがもの心ついた頃から知っている男である。仕事の現場で出された豆大福や煎餅を持ち帰り、外で遊んでいたおすぎに分けてくれたものだ。その頃の喜助は細身で、いなせな感じもあった。

喜助が自分を女として見るようになったのは、おすぎが十六、七、ぐらいになってからだろう。痩せて色黒の女の子が、気がつけば娘らしい色香を備えている。目当ての女とはうまく行かず、長く独り者でいた喜助は、母親が膝の痛みを訴えた頃から、早くかみさんを貰わなければならないと焦り出したのだろう。ふと、気づけば、自分の隣りにお誂え向きの娘がいた。なまじ気軽な言葉を交わす間柄だったから、おすぎの気持ちなどそっちのけで、気がはやってしまったらしい。

古い墓石に線香を手向け、お参りを済ませたおすぎは寺の裏手に銀助を促した。期待した通り、田圃の手前にはみそはぎが群生していた。

「ああ、きれいだ」

銀助は感歎の声を上げた。

「うちのおっ母さん、毎年、この景色を見るのを楽しみにしていたの」

みそはぎは明るい陽射しの下で、あるかなしかの風に揺れていた。

「みそはぎは仏様の花だそうですね」

銀助は訳知り顔で言う。

「ええ。いつもお盆の頃に咲きます」

「仏様はみそはぎの花の露でなければ口にされないそうです」

「そうなんですか」

おすぎは初めて聞いた。

「仏様に供える禊ぎの萩だからみそはぎと呼ぶのですよ」

「銀助さんはもの知りですね」

「いえ、お客様の受け売りですよ」

銀助は照れたように笑った。みそはぎは赤紫色の花だが、茎も赤みを帯びている。茎の先端に穂になっている。みそはぎの由来の禊ぎという言葉に、おすぎは拘った。

禊ぎは神事の前などに水を浴びて、身の罪や汚れを払い清めるという意味だ。そういう花が田圃の前に咲いているのはそぐわないと思う。水辺を好んで咲く花に、そんな仰々しい名をつけたのは誰だろう。きっとやり切れない事情を抱えた者が、ふと眼に留め、たまたま盂蘭盆の頃に咲いていたので、何か仏の世界と繋がっていると思ったのだろうか。

喜助にもこの景色を見せてやりたかった。そうすれば、昂ぶった気持ちは少しでも落ち着いただろう。それは今だから言えることで、以前は思っただけで怖気をふるったおすぎだった。もっと他にやり方もあっただろうにと、おすぎは後悔している。尖ったもの言いしかできなかったのは、若さだろう。これからは、穏やかに人を諭す器量のある女になりたいと思う。

　もうすぐ、おすぎも弥三郎店を出る。八丁堀の坂本町にある裏店が新しい住まいだ。銀助は、いつか表通りに一軒家を構えるつもりだと言った。それが銀助の夢らしい。

　夢は叶っても叶わなくてもいいと思う。銀助も鉄五郎のように、新婚の内は自分の名前をうるさく呼ぶのだろうか。それを考えると可笑しかった。くすりと笑ったおすぎに銀助は怪訝な眼を向ける。

「どうしました」

「いえ、何んでもないの」

「また来年、みそはぎを見に来ましょう」

「ええ、きっと」

　それから二人は黙ったまま、みそはぎが咲いている景色を眺め続けた。陽はさんさんと若い二人に降り注いでいる。気懸りはすべて済んだ。これからは銀助と二人で新しい暮らしをするのだ。それなのに、おすぎの脳裏にあるのは、おまさの最期や喜助の恨めし気な表情だった。それを忘れるには、まだ時間が掛かりそうだった。銀助の傍に寄り添って、滅法界もなく倖せな自分なのに。

「腹が減りましたね。浅草広小路に出て、蕎麦でもたぐりますか」

銀助は明るい声でおすぎに言った。

「嬉しい。あたし、お蕎麦が好物なの。せいろの大盛りを頼もうかな」

「おすぎさんは大喰らいですか」

「意地悪」

おすぎは銀助の腕を叩いた。痛ェ、痛ェと大袈裟に言う銀助の声は、みそはぎの群生に向かって流れて行くようだった。

みそ萩や　水につければ　風の吹く　　一茶

青物茹でて、
お魚焼いて

一

「ああ、暑いねえ」

日本橋本石町の弥三郎店と呼ばれる裏店に住むおときは、もの干し棹に洗濯した物を掛け終えると、空を見上げて呟いた。暗みを帯びて見えるほど真っ青な空は雲のかけらさえ見当たらない。その日も暑くなりそうだった。

照りつける陽射しは朝から強いし、蟬しぐれもかまびすしい。江戸は夏のさなかにあった。

弥三郎店は町医者の石井道庵の家の庭と背中合わせになっている。むさ苦しい裏店の景色が見えないように、庭には高い塀を巡らしてある。その塀際に、これまた樹齢何年になるのか太い欅の樹が植わっている。他に、もみじだの、青桐だの、季節ごとに道庵の眼を喜ばせる樹木も並んでいる。塀と樹木が風の通り道を塞いでいるので、なおさら弥三郎店は暑いのだ。道庵はそれに気づいているのだろうか。広い敷地に建つ家でも風の通りが悪いのだから暑さはこたえているはずだ。

塀はともかく、樹木の枝を少し払えば幾分、涼しくなるだろうに、道庵はそうしようとしない。塀と丈のある樹木で自分の家と弥三郎店の間に結界を敷いているような感じがする。

普段は温厚で、病人の世話を親身にしている道庵だが、内心では裏店住まいをする者をばかにしているのかも知れない。人の心はわからない。おときは近頃、つくづく思っている。

干したばかりの洗濯物に眼を向ければ、娘のおちよの浴衣、次男の作次の下帯、それにおときの蹴出し（腰巻）と肌襦袢がなかよく並んでいる。皆、手で丁寧に皺を伸ばしてある。こうしておけば、後で火のしを当てなくて済む。おときは癇症な女だった。もっとも、夏の盛りには、さすがにおときも火のしを当てる気になれない。

長男の朝太は十二歳で、十歳の時から浅草の質屋に奉公に出ている。朝太は住み込みだから、洗濯物は見世の女中がやってくれるという。まあ、下帯ぐらいは自分で洗うだろう。

朝太が奉公に出てから、洗濯はずい分、楽になった。おまけに亭主の茂吉の洗濯も最近では全くしていない。茂吉は、もう三ヵ月も弥三郎店に戻っていなかった。とはいえ、次男の作次は八歳だから、そろそろ先のことを考えてやらなければならない。商家に奉公させるか、それとも茂吉の跡を継がせて錺職人の修業をさせるかだ。娘のおちよは当分、手許に置いて台所仕事を仕込むつもりだった。まあ、十四、五歳になったら、嫁に行くまでの間、女中奉公をさせてもいいかも知れない。

作次が錺職人の修業をすることには、おときは内心で賛成できなかった。家族を放り出すような男の跡など継がせたくない。茂吉に対する不満が、おときをそんな気持ちにさせている。

手間取りの錺職人をしている茂吉は、日中、親方の家の細工場で仕事をしているが、忙しくなると弥三郎店に戻って来てからも仕事を続けた。夜なべすることも、しょっちゅうだった。コンコン、コンコンと錺職用の金槌を使う音がうるさいと年寄りの店子に文句を言われてから、茂吉は親方の家に泊まり込んで仕事をするようになった。それでも、ひと仕事終えれば、戻って来て、作次とおちよを連れて湯屋に行き、たまには家族そろって外で蕎麦や鰻を食べたものだ。

留守がちな茂吉に、おときは寂しさを覚えていたが、それもこれも生きるためだから仕方がないと了簡していたのだ。

しかし、三日か四日だった泊まり込みが次第に長くなり、十日、二十日、ついにはひと月に及ぶようになった。さすがにおときも心配になり、子供達に晩めしを食べさせると、日本橋・上槇町で「亀甲屋」という看板を揚げている親方の家へ様子を窺いに行った。亀甲屋は代々、錺職をしており、旗本屋敷からの仕事も引き受けている。その割に職人の数は少なく、茂吉と二人の職人、それに見習いの小僧がいるだけだ。職人の数を増やしても、それに見合う仕事がなければ、おまんまの喰い上げだと、親方の亀蔵は敢えて職人を増やそうとしない。だから茂吉も今まで忙しい思いをして来たのだ。

亀蔵は寄合があって留守にしていたが、女房のおくまは、おときを茶の間に招じ入れ、話を聞いてくれた。

「変だねえ。茂吉さんは仕事を終えると、すぐに帰っているよ。まさか、そんなに長い間、家を空けているとは思わなかったよ。近頃は不景気だから、夜なべで仕上げなければならない仕事も減っているしね」

おくまは怪訝な表情で言った。五十歳の亀蔵より五つほど年下だから、おくまは四十半ばになるだろう。剃った眉は青々として、鉄漿で染めた口許が艶めいている。頭には飴色の笄を挿しただけだが、貫禄があり、どことなく品を感じさせる女だった。

おときがおかしいと感じたのはその時だった。亀甲屋に行ったのは、茂吉から給金が届けられていないせいもあった。店賃は、その時点でも、ひと月遅れていた。弥三郎店の差配（大家）には、うちの人は仕事が忙しくて、なかなか家に戻れないんですよ、戻りましたら、きっとお支払いしますから、と言い訳していた。

女がいる——おときはそう思った。女の勘は、別に確かな証拠がなくても当たるものだ。特に亭主の浮気に関しては。茂吉は女の所に泊まり込み、取った給金もそっちへ運んでいるのだ。おときは激しい憤りを覚えたが、おくまには言わなかった。俯いて、そっと唇を噛んだだけだ。

「あんた、子供達に、ちゃんとごはんを食べさせているのかえ」

おくまは心配そうに訊いた。

「ええ、今のところは何んとか……」

「特に困っていることはないのかえ」

「店賃が少し遅れているぐらいですよ」

おときは、わざと明るい声で応えた。だが、おくまは眉根を寄せた。茂吉が給金をおときの許に届けていないと察したようだ。それじゃあ、あんたも困るだろう、とおくまは店賃だけは工面してくれた。茂吉には、おときを心配させないように意見するとも言ってくれた。

おときは、ひとまず安堵（あんど）して弥三郎店に戻ったのだ。

だが、それが仇（あだ）になった。茂吉は翌日の夜、血相を変えて弥三郎店にやって来ると、おときに平手打ちを喰らわせ、みっともねェ真似をしやがって、と罵（ののし）った。

「何がみっともないのさ、亭主がひと月も家に戻って来なけりゃ、女房なら心配するはずだ。作次やおちよにごはんを食べさせなきゃならないんだよ。店賃を払うお金もなかったから、亀甲屋さんに行ったんだ。あんたがきちんと給金を運んでくれていたら、亭主の仕事先に、のこのこ出かけて行くものか」

「銭、銭とうるせェ女だ。手前（てめ）ェの面（つら）を見ていると反吐（へど）が出るわ。こんな所にいられるか」

「だから、よそのいい人の所に居続けるのかえ」

おときも負けずに言い返した。後は修羅場（しゅらば）だった。作次とおちよは激しい泣き声を上げた。騒ぎを聞きつけて店子達が集まって来ると、茂吉はおときに小銭を投げつけて出て行った。

もう、お仕舞（しま）いだ。おときは悔し涙をこぼしながら思った。茂吉もこれで、すっぽりけりをつけた気持ちになっただろう。相手の女にはおときの悪口を並べ立て、もう、ヤサ（家）には帰ェらねェから安心しな、などと甘い言葉を囁くのだろう。いいさ、それならそれで。浮気に走った亭主なんて、こちらから願い下げだ。亭主がいなくても子供は育てられる。内職でも日雇いでもしてお金を稼ぐのだ。おときは自分の胸に言い聞かせたものだ。

二

洗濯が済むと、土間口の傍に植えた朝顔の蔓が伸びていたので、そこら辺に置いてあった竹の棒を支柱にした。赤紫、濃紫の朝顔が夏のおときの慰めだった。

お昼は素麺を茹でて、夜は朝ごはんの残りでお茶漬けにしよう。茂吉がいないので酒代は掛からないし、魚も毎度つけなくていい。女子供の家も案外、気楽なものだ。おときは茂吉がいないことを、自分の都合のいいように考えていた。そうしなければやり切れなかった。

本銀町の居酒見世「井筒屋」へ働きに出るようになったのは、同じ店子であるおすぎの口利きによるものだった。おすぎは寝たきりの母親が死んでから、八丁堀に住むお店者の男と所帯を持つために近々、弥三郎店を出て行くことになっていた。

おすぎは井筒屋で女中をしていたので、亭主が戻らないおときに同情して、自分の後釜に据えるよう、井筒屋の主に勧めてくれたのだ。

最初は居酒見世の女中なんて、と気が進まなかったが、家で内職するより高い給金が貰えた。お蔭で店賃も滞りなく払うことができる。夜に子供達を置いて出かけるのは胸が痛むが、作次とおちよを懇々と諭し、我慢させていた。

居酒見世づとめは存外、おときに合っていたようだ。常連客と気の置けない会話を交わし、たまには祝儀を手にすることもあった。

三十六歳の大年増のおときに言い寄って来る客もいたが、そこは年の功で、さらりと躱していた。

それでも、時々、どうして自分は、こんなところでこんなことをしているのだろうという思いが頭をもたげた。見世が忙しい時は、そんなことは考えない。客の入りが少なく、所在なく盆を抱えて、柱に寄り掛かっていたりする時、ふいにおときの脳裏をよぎるのだ。

ぽっかりと胸の中に穴が開いたような気分にもなる。茂吉が仕事を終えて家に帰り、晦日には少ないながらも給金を渡してくれた頃のことが思い出される。当たり前のことが、今では夢のようだ。あの頃、自分は貧しいながらも倖せな女房だったのだ。そんなことは改めて考えたこともなかった。このまま平凡な暮らしがずっと続くものと信じて疑わなかった。

茂吉と知り合った頃のことも、しきりに思い出された。おときは十二歳の時から両替商を営む「豊前屋」に女中奉公に出ていた。豊前屋の主の母親には大層可愛がられた。

主の母親は亀甲屋が贔屓で、自分の物だけでなく、娘達や孫、嫁の簪なども注文していた。茂吉は主の母親に呼ばれると亀蔵の代わりに豊前屋を訪れ、細かく注文の内容を訊いた。茂吉は絵も上手で、携えた小さな画帖に、矢立の筆でさらさらと簪の絵を描き、こんな感じでよござんすかと、主の母親に意見を仰いだ。たいていは茂吉の考え通りに仕事が進んでいたと思う。おときは訪れた茂吉に茶を運び、二人が楽しそうに話をする様子を眺めていた。あの頃の茂吉は細身で、いなせな感じのする男だった。同じく奉公している若い女中も、茂吉さんって男前ね、と胸をときめかせていたものだ。

だから、主の母親から、ある日、茂吉と所帯を持つ気はないかと訊かれた時は、本当に驚いた。

二十歳を過ぎて、行き遅れと陰口を叩かれていたおときである。自分の何が茂吉を気に入らせたものかと思った。

茂吉は前々からおときを気にしていたらしい。錺職人の給金はそれほど高くない。貧乏を厭わない娘を女房にしたかったようだ。茂吉も二十八歳になっていたので、三十前に身を固めたかったらしい。豊前屋の主の勧めもあり、その話はとんとん拍子に進んだ。

おときは茂吉と形ばかりの祝言を挙げ、弥三郎店で暮らすようになったのだ。朝太が生まれた時の茂吉の嬉しそうな顔は忘れられない。おれの跡継ぎができたと、長屋中を触れ回っていた。

次男の作次とおちよも生まれ、茂吉はなお一層、仕事に精を出すようになった。そんな茂吉がおときには頼もしかった。

どこで歯車が狂ったのだろうか。おときはその理由が今でもわからない。邪険にした覚えはなかった。だが、子供達の世話に追われ、茂吉の機嫌を取るようなことはしなかった。

それが原因だと言われても、おときは困ってしまう。子供を抱える女房なら、誰でもそうだろう。亭主にいちいち愛想をしていられない。だからと言って、茂吉がいやだと思ったことはない。たった一人の大事な亭主だ。

茂吉が仕事を終えて家に戻って来れば、徳利の酒を一本つけ、青物を茹で、魚を焼いて食事の用意を調えた。

うめェ、うめェと言われると、おときは滅法界もなく嬉しかった。

朝太が親の仕事を嫌ってお店者の道に進もうとしたことも理由だろうか。

「おいら、手先が器用じゃねェし、ずっと座ってする仕事は性に合わねェ」

朝太がそう言った時、茂吉は心底、がっかりした表情をしていた。朝太が父親と同じ道を歩むなら、色々と教えてやれると楽しみにしていたのだろう。

朝太が弥三郎店を出て行ってから、確かに茂吉は元気がなくなった。作次が、おいらがあんちゃんの代わりに錺職人になるよ、と慰めても、茂吉は薄く笑うだけで、さほど嬉しそうでもなかった。あの頃、茂吉の胸の中に何か変化があったのだろうか。それを聞いてやらなかった後悔がおときにはある。だが、もう、すべてが遅過ぎた。茂吉は別の女と一緒に暮らしている。おときの出る幕もなくなった。女の家に行って、この泥棒猫、人の亭主を取りやがって、と悪態をついたら、どれほど胸がすっとするだろうか。多分、おときは、そう思うだけで、実際にはしないだろう。

それは、同じ弥三郎店に住むおすがという独り暮らしの年寄りの助言もあったからだ。

おすがの息子の清三郎は大伝馬町の呉服屋「尾張屋」の手代をしているが、今は上方の本店に出向いている。大店の呉服屋は、たいてい上方に本店があり、江戸の店は出店（支店）であることが多い。尾張屋もそうだった。

将来性のある手代を本店で何年か修業させるのが尾張屋の長年の慣習でもあった。清三郎は六十を過ぎたおすがを独りにするのが気懸りだったが、なあに、あたしは当分、大丈夫だよ、上方でしっかり修業おし、と気丈におすがに言われて決心を固めたようだ。

上方に旅立つ前、清三郎はおときの住まいを訪れ、くれぐれもお袋をよろしくと挨拶した。おときも、心配しないで、何かあれば、あたしだけでなく、長屋のおかみさん達と一緒にお世話するつもりですから、と応えた。清三郎は安心したように笑顔を見せた。

何年か修業を終えて江戸に戻って来たあかつきには、清三郎は番頭に昇格するだろう。

息子の晴れ姿を見ることを楽しみに、おすがは毎日を過ごしていた。

そのおすがが、井戸端で洗濯していたおときに声を掛けた。

「茂吉さんは、あれ以来、ふっつり姿を見せないね。あんた達、まさか離縁した訳じゃないだろうね」

おすががそう言うと、他の女房達は顔を見合わせた。皆、どうしたのだろうと心配していたが、敢えて口にはしなかった。おときの気持ちを慮ってのことだった。だが、おすがは、いつまでも黙っていることができなかったようだ。あれ以来とは、茂吉がおときと派手な夫婦喧嘩をした時のことを指していた。

「離縁はしていませんけど、うちの人、あたしに愛想を尽かして、よそのいい人の所にいるみたいですよ」

おときは他人事のように言った。

おすがは、やはりそういうことになっているのかという表情でため息をついた。

「おときさんは悪くないですよ」

大工職人の鉄五郎の女房が口を挟んだ。鉄五郎と所帯を持って間もないが、この頃は弥三郎店の女房達と気軽な口を利くようになった。

「ありがとう、おやすちゃん。あんたは優しいね」

おときは鉄五郎の女房のおやすの気持ちが嬉しかった。だが、おすがは、にこりともせず、言葉を続ける。

「茂吉さんは真面目な男だから、ろくに遊んだこともなかったんだろう。四十の声を聞いてから女にのめり込むなんざ、ちょいと厄介だよ。でもね、おときさん。こういう時は下手に騒がないほうがいい。相手の女の所へ乗り込むなんてのも感心しない。そんなことをしても亭主の気持ちは取り戻せやしないよ。まあ、あたしも亭主の浮気にはさんざん、泣かされた口だからね」

「おすがさんのご亭主もそうだったんですか」

おときは驚いて眼をみはった。

「ああ、そうとも。うちの人は小間物の行商をしていたから、客も女が多い。亭主に構われていない女房に言い寄られることは、しょっちゅうだったよ」

「それで、ご亭主は戻って来たんですか」

それが肝腎とばかり、おときは訊いた。

「戻って来たともさ。若い頃はともかく、五十を過ぎて、頭も薄くなった男に誰が色目を遣うものか。死ぬ間際なんて、お前が傍にいてくれてありがたかったと真顔で礼を言われたものさ」

おすがは愉快そうに笑う。おすがの亭主は、もうはるか昔に亡くなっていた。ちょうど嫁に行った娘に孫が生まれる年だった。娘は木更津の漁師の家に嫁いでいるので、滅多に弥三郎店を訪れることはなかった。

茂吉が五十の声を聞くには、まだ七、八年もあると、おときは意気消沈する思いだった。

「とにかく、今は子供を大きくするのが肝腎だから、余計なことは考えずにお励みよ」

おすがはおときを慰めるように肩を叩いた。

三

ぬるま湯のような雨が降った朝、大工の鉄五郎は本所(ほんじょ)の妹が届けてくれた青物をお裾分(すそわ)けに訪れた。雨で鉄五郎の仕事も休みになったらしい。笊(ざる)の中には大根、茄子(なす)、葛西菜(かさいな)が入っていた。

「いつもありがとうございます。食べ盛りの子供がいるんで大助かりですよ」

おときは笑顔で礼を言った。

「なあに」

鉄五郎は照れたように応えると、あのう、と何か言うつもりだったらしいが、いや、何んでもありやせん、とすぐに出て行こうとした。

「待って、鉄五郎さん。話があるなら言って下さいな。言い掛けてやめるなんて気になるじゃないですか」

おときは鉄五郎を引き留めた。

「おときさんに話したところで愉快なことじゃありやせんよ」

鉄五郎は気後れした表情で応える。

「うちの人のこと？」

「ええ、まあ……茂吉さんにどうも女がいるらしいと、うちの奴が言っていたんで、そういや、檜物町で茂吉さんを見掛けたことを思い出しましてね。なに、現場がちょうど、その近くにあったもんで」

「そう……」

檜物町は亀甲屋がある上槇町とも近い。

「檜物町の路地にある二階家でした。茂吉さんは二階の窓框に座って、ぼんやり外を眺めていたんですよ。おいらが道具箱を抱えてヤサに帰ェる時、ふと眼が合いやした。茂吉さんは、慌てて中に引っ込みやしたがね」

「その家のことを知っているの？」

「へい。建て主さんのおかみさんの話じゃ、薬種問屋の旦那に囲われていた女の家だそうです。昔は吉原の小見世にいたそうですぜ」

おときの胸にちくりと痛みが走った。吉原の女が相手じゃ勝ち目はないと思う。そういう商売を続けた女は男の気を惹く手練手管に長けている。茂吉は、顔見知りとなって親しい口を利く内に深間に嵌ったのだろう。いや、その女が簪でも亀甲屋に注文したのが、きっかけかも知れない。きっとそうだ。

「ところが、世話になっていた旦那が去年の暮辺りに死んで、その女は本宅から幾らか手切れ金を貰って、気儘な暮らしをするようになったそうです。ま、おいらが知っているのはそこまでですが」

「ありがとう、鉄五郎さん。よく教えてくれましたね。何も知らないでいるよりましですよ」

「そうですかい。だが、おいらが言うのも何んだが、女に溺れるのも、いっときのことだと思いますぜ。その内に眼が覚めりゃ、きっと戻って来ますって。おいらも気をつけます」

「鉄五郎さんは大丈夫よ。可愛らしいおやすちゃんに敵う女はいませんよ」

そう言うと、鉄五郎は照れて、人差し指で鼻の下を擦った。

「あんまり考え込まねェように」

鉄五郎はおときを慰めると、自分の住まいに戻って行った。

眼も鼻もわからない、のっぺらぼうのような女に少し形がついたような気がする。きっと上目遣いに茂吉を見つめ、鼻声で甘える女なのだ。きりきりと悋気（嫉妬）が湧き上がる。何も知らなかった時よりはるかに強く。

それでも女房なら、じっと耐えていなければならないのだろうか。今こそ、自分が女であることを恨めしく思ったことはない。

今度生まれて来る時は男になり、茂吉へ敵討ちをするように浮気してやると思った。

おときの心の変化は、まさにその時から始まったような気がする。

おときは井筒屋で働くようになってから酒の手が上がった。客の肴には手を出さないが、ちろりの酒を勧められたら、猪口にひとつぐらいは飲む。それが客に対するお愛想でもあった。一杯が二杯と量が増え、見世が看板となる頃には、弥三郎店まで千鳥足で帰る羽目ともなった。井筒屋の主の為五郎から、おときさん、ちょいと飲み過ぎだぜ、と注意されると、おときは「すみません、気をつけます」と素直に謝るが、客に勧められると、やはり断ることができなかった。

尾張屋の番頭の忠助はおときが井筒屋で働く前から井筒屋の常連客だった。おすがの息子の清三郎が尾張屋に奉公していることもあり、忠助に何度か清三郎の様子を訊いていた。

清三郎はおときが思っていた通り、本店でも真面目に修業しているようだ。それをおすがに伝えると大層喜ぶので、おときも忠助の顔を見ると清三郎の話を持ち掛けていた。

忠助は上方出身の男で、茂吉と年が近い。

上方で女房と二人の息子と暮らしていたが、女房は病を得て数年前に亡くなっていた。

本店の主は元気をなくした忠助を心配して、しばらく江戸に行ってみないかと勧めたらしい。

幸い、二人の息子も尾張屋に住み込みの奉公をするようになったので、忠助はさほど迷うことなく、その話を受けた。大伝馬町の尾張屋の売り上げが横ばい状態だったので、本店の番頭である忠助を差し向けて、売り上げの向上を図る目的もあったようだ。

上方訛(なま)りのある忠助だが、江戸ではなるべくそれを出さないようにしていた。だが、江戸の食べ物はあまり口に合わないようで、特に尾張屋の女中が拵(こしら)える煮物などは味が濃過ぎると閉口していた。井筒屋で飲む時も肴は冷奴(ひややっこ)か焼き魚、それに青物のお浸(ひた)しがお決まりだった。

「大変だねえ、子供を抱えて働くなんざ」

忠助はいつもおときに同情してくれた。井筒屋では亭主がいないことにしていた。そのほうが客の受けがよかったからだ。

「わし、そろそろ本店に戻ろうと考えているんですよ。清三郎と交代だな。あれも本店の流儀を叩き込まれて、江戸に戻って来ても立派に番頭をやれるだろう」

いつものように店を閉めてから訪れた忠助は改まった顔でおときに言った。

「清三郎さんのおっ母(か)さんは、きっと大喜びしますよ。清三郎さんが本店に行ってから、そろそろ三年になるでしょうか」

「わしもようやく女房を亡くした悲しみが癒(い)えたようですよ。年月というのはありがたいもんです。一時は女房の後を追おうとまで思い詰めていたんですがね」

「それほどまでに思われて、おかみさんは倖せですね。羨(うらや)ましい」

おときは忠助に酌(しゃく)をしながら言った。

「こんな所でする話でもないんだが……」

　忠助は少し躊躇（ちゅうちょ）した表情になった。

「何んですか」

「あんた、わしと一緒に上方へ行くつもりはないだろうか」

　忠助の言葉に、おときはつかの間、黙った。そんなふうに自分のことを思っていたのかと驚いていた。

「駄目ですよ、あたしは。子供がまだ小さいですから」

「上の倅（せがれ）は質屋に奉公しているんだってね。二番目も八歳だそうだから、尾張屋に奉公できるようにわしが口を利いてもいいよ。五歳の娘はどうしようかねえ。上方までの道中は長いから、とても一緒に連れて行けないだろう。お得意様で常磐津（ときわず）のお師匠さんがいるんですよ。芸事は小さい頃から仕込んだほうがいいから、弟子にするのはどうですか。お師匠さんは、弟子をほしがっているようなこともおっしゃっておりましたから」

「でも……」

　急な話だったので、おときは何んと応えてよいかわからなかった。

「子供はいずれ親の許から去って行くものですよ。それが早いか遅いかの違いだけです。母親が傍にいないのは寂しいだろうが、なあに時が経てば、そんなことは忘れてしまいますよ。何より、あんたがいつまでも、こんな商売をしているのは感心しない。女は亭主に仕(つか)え、家を守るのが一番いいことですからね」

忠助は、しみじみした口調でおときを諭した。忠助はおときに身ひとつで上方に来て貰いたいらしい。向こうには実の息子もいる。番頭をしているとはいえ、作次とおちよの面倒まで見切れないようだ。当たり前に考えれば、それは忠助の勝手な理屈だったが、その時のおときは忠助の言葉に気がはやってしまっていた。そうだ、それがいい。自分は、いやな思いばかりした江戸におさらばして上方へ行くのだ。新しい暮らしは、きっとおときの気持ちに張りをもたらすに違いない。

忠助には、少し考えさせて下さいと言ったが、おときの気持ちはその時から決まっていた。

四

作次に尾張屋に奉公する話をすると、即座に、おいら、いやだ、と言った。おちよにも常磐津のお師匠さんの弟子になれば、常磐津や三味線(しゃみせん)の稽古(けいこ)ができて、末はお師匠さんになれると勧めたが、作次同様、いやだと応えた。

「困ったねえ。おっ母さんは働いてあんた達を育てるのが辛くなったんだよ。このまじゃ、病になっちまう」

おときはくさくさした表情で言った。

「お父っつぁんが戻って来りゃ、おいら尾張屋に奉公しなくて済むんだろ？　おいら、お父っつぁんを呼んで来る」

作次は切羽詰まった顔で言う。

「無駄だよ。お父っつぁんは、あたしらを捨てたんだから」

小意地悪く吐き捨てると、作次とおちよは泣き出した。おちよは意地っ張りな性格だが泣き虫でもある。泣き出したら、なかなか止まらない。

ああ、面倒臭い。子供なんて産まなければよかったと、おときは思う。朝太は盆の藪入りに戻って来るだろう。商家の小僧は盂蘭盆と正月の藪入りの時しか休みが貰えない。いつもなら、ぼた餅を山ほど拵えて朝太に食べさせ、近所にもお裾分けしていた。今年はどうもその気になれない。どうせ、朝太はちょっと弥三郎店に顔を出して、すぐに友達と遊びに出かけるのだ。小遣いを少し渡してやれば、それでいいだろう。

それにしても、作次とおちよの始末をどうつけたらいいのか。最後の手段は無理やりにでも尾張屋と常磐津の師匠の所へ連れて行き、後も振り返らずに逃げて来るしかない。

薄情な母親と思われても構うことはなかった。それもこれも茂吉が蒔いた種だ。別に二人の子供を売る訳ではない。ちゃんと将来の道をつけてやるのだから、自分に非はないはずだ。おときは邪魔な子供を遠ざけるために、そんな理屈を捏ねていた。

忠助の上方行きは、おときが思っていた以上に早く訪れた。江戸が盂蘭盆を迎える少し前、井筒屋に訪れた忠助は、おときに晦日の掛け取り（集金）を済ませたら、翌日には旅立つという。おときは慌てた。まだ作次とおちよは弥三郎店に留まったままだったからだ。

「二番目の息子と娘は、いやだと言って聞かないんですよ」

おときは情けない表情で言い訳した。

「困りましたなあ。親の言うことを聞かないなんて、相当に我儘に育てたんでしょうなあ。うちの倅達は、そんなことはありませんでしたよ」

「どうしたらいいのでしょうねえ」

「わかりました。わしが明日、二人を連れて行きますよ。まさか、裏店に子供達を残して置くことはできませんからね」

忠助はそう言ってくれた。おときはそれを聞いて、ほっとした。これで気懸りが片づく。

「そうしていただけますか」

「おときさんをかみさんにするために子供達をないがしろにしたと陰口を叩かれては、わしの面目も立ちませんよ」

「ありがとうございます」

「道中手形などは、こちらで用意しますので、おときさんは身の周りの物を持つだけでいいですよ。あまり荷物が多いと道中が辛いですから」

「荷物なんて、ろくにありませんよ。しがない裏店暮らしをしていた女ですもの」

おときは自嘲的に応える。せっかくの旅立ちだというのに、まともな着物もなかった。

忠助に着物の一枚ぐらい、おねだりしたかったが言い出せなかった。忠助には、おときがそういうことを言い出せない雰囲気があった。まだ忠助には遠慮もあった。

「向こうに着いたら、色々、ご案内しますよ。うまい物もたくさんあります。きっと、おときさんにも向こうの暮らしが気に入っていただけると思います」

忠助は機嫌のよい表情で、評判の高い芝居小屋や、歴史のある神社仏閣、風光明媚な名所の話を滔々と語った。今まで見たこともない景色を見るのは、どんな心持ちがするだろうか。おときの胸は弾んでいた。

翌日、忠助は約束通り、朝早く弥三郎店を訪れ、作次とおちよを連れて行った。おちよは泣き叫んで手がつけられなかったが、おときは家の中に引っ込んで見ない振りをした。

弥三郎店の女房達が心配して様子を見に来た時、おときは笑顔で子供達の事情を説明した。それを聞いて、女房達も安心して引き上げた。ただ、鉄五郎の女房のおやすが「子供達を連れて行く時、あの男の人はとても怖い顔をしていたので、女衒かと思いましたよ。尾張屋さんの番頭さんだったんですね」と、ぽつりと言った言葉が、おときの気持ちに引っ掛かった。忠助は他人の眼から女衒に見えたのかと思った。そう言えば、忠助が人を見る時、つかの間、冷たい表情になることを思い出す。

顔見知りには如才なく挨拶するが、それ以外の人間には、ろくに口も利かなかった。おときはそれを、長年、呉服屋の番頭としてやって来た忠助の貫禄と感じていたが、そうではないと思う者もいるのだ。だが、二人の子供の始末をつけたおときの気持ちは妙にさっぱりとしていたので、さほど頓着することはなかった。それより旅仕度をすることに気持ちが向いていた。

井筒屋の主にはその月の晦日で見世を辞めることを告げた。弥三郎店の差配の治助にも、近々引っ越しすると言ったが、近所の女房達には、上方へ行くことは言えなかった。女衒のようだと言われた男の後添えになると知ったら、女房達はどう思うだろう。

多分、呆れるはずだ。だから早々に子供達をよそへやったんだ、おかしいと思ったよ、そういうことだったたんだねえ、と口々に噂話をするだろう。自分が旅立った後には何んと言われても構わなかった。どうせ、二度と会わない連中である。

朝太は藪入りの日に戻って来ると、作次とおちよがいないことを気にした。二人のことを話すと、まだ一、二年先でもよかったのに、と朝太は恨めしそうな顔でおときを見た。久しぶりに弟と妹の顔を見るのを楽しみにしていたらしい。

「仕方がないだろう。お父っつぁんがいなくなったんだから」

「おっ母さんは、おすぎ姉ちゃんが勤めていた居酒見世で働いているんだろう？　だったら、それほど暮らしに困ることもないだろうが」

朝太は、また背丈が伸びた。大人びた表情でもあった。

「もう決めたことだから四の五の言わないどくれ」

「お父っつぁんと離縁して尾張屋の番頭の後添えになるって話を聞いたけど、本当かい？」

朝太は詰(なじ)るような眼つきで訊く。痛いところを突かれて、おときは慌てた。朝太には何も知らせずに行くつもりだった。

「誰に聞いたのさ」

おときは平静を装って訊き返した。

「見世のお客さんだよ。時々、井筒屋に通っている人さ。おっ母さんは、しっかりその気だぜ、と言っていたよ。おいら、恥ずかしくて身の置きどころもなかったよ」

「何が恥ずかしいのさ。あたしはまだ四十前だ。これから倖せになっても罰は当たらないはずだ。お父っつぁんのせいで、さんざん、苦労をさせられたんだから」

「おっ母さんは相手の男のことをよく知っているのかい」

朝太は意味深長な言い方をした。

「知ってるよ。上方の本店で番頭をしていたのさ。おかみさんを病で亡くし、悲しみを癒やすために江戸の出店へやって来たんだよ。何しろ尾張屋さんの番頭だ。お父っつぁんとは比べものにならないよ」

「病で死んだんじゃないぜ。かみさんはあの男の浮気に泣かされて、当てつけに首を縊って死んだそうだ。あの男は、ほとぼりを冷ますために江戸へ来たんだよ」

「…………」

そんなことは初耳だった。おときは言葉に窮して黙った。上方の噂はこの江戸まで伝わって来るものらしい。

「しかし、浮気の虫は治まらず、またぞろおっ母さんに言い寄った。そんな男と一緒になるつもりかい」

「先のことなんて誰にもわからない。お前の言うことが本当だったら、江戸に戻って来るよ」

「江戸に戻るって、おっ母さんはあの男についてどこかに行くつもりかい」

朝太は驚きで眼を丸くした。

「ああ、そうとも」

「だったら、ここで親子の縁を切らして貰うよ」

朝太はおときの顔から眼を逸らして言った。

「母親に向かって何んて口を利くんだ」

おときは声を荒らげた。

「おいらにとって、何があっても親父は親父、お袋はお袋だ。だが、子供のことより手前ェの色恋に走る親なんざいらねェよ。今日限り、おいらは、親はいないものと思って暮らすさ。あんたもそのほうがいいだろう」

母親の自分をあんた呼ばわりされ、おときは衝撃を受けた。好きにしな、朝太は捨て台詞を吐くと飛び出して行った。生意気な子供だと、おときは却って腹を立てた。だが、忠助には自分が知らない一面もあるのかも知れないと、微かな不安が頭をもたげてもいた。

くよくよしても始まらない。なるようにしかならない。おときは微かな不安よりも新たな暮らしへ胸を膨らませていた。

五

晦日の夜は眠れそうになかった。翌日はいよいよ忠助と上方へ旅立つのだ。最後の勤めを終えると、おときは主やおかみさん、常連客に挨拶して井筒屋を出た。その夜は、さすがに忠助は見世に現れなかった。掛け取りのけりをつけることで、そんな隙もなかったのだろう。

翌日の朝は日本橋で忠助と落ち合う約束だった。秋の気配が漂う東海道は、さぞ気持ちがいいだろう。おときの気持ちは自然に浮き立っていた。

裏店の門口を潜り、土間口の油障子の前に立った時、おときはぎょっとした。作次とおちよがいたからだ。傍に鉄五郎の女房のおやすがつき添っていた。

「お帰りなさい。作ちゃんとおちよちゃん、奉公先から逃げて来たみたい。おっ母さんが帰るまで、うちでお休みよと言ったんですけど、二人ともここで待つって。夜も遅いし、あたしも心配で一緒にいたんですよ」

おやすはそう言った。頭が混乱していたが、おときは、お世話様、とおやすに礼を述べた。

「作ちゃん、おちよちゃん。おっ母さんが戻って来てよかったね。早くお休みなさいね」

おやすは二人に優しい言葉を掛けてから自分の家に戻って行った。

二人を中に入れ、油障子を閉めると、おときは行灯に火を点けた。それから二人に向き直り、どうして勝手なことをするんだ、と叱った。おちよはすぐに泣き出した。作次も俯いていたが、低い声で話を始めた。

「おちよの奴、いつも尾張屋にやって来るのさ。帰りたい、おっ母さんに会いたいって泣くんだよ」

「そんなことを言われても、もう決まったことなんだよ。お前達が勝手なことをすれば、お店にもお師匠さんにも迷惑が及ぶんだ。それを考えたことがあるのかえ」

「だって、おちよはまだ小さいし、毎度泣かれちゃ、おいら、どうしていいかわからないんだよ」

「お前はどうなのさ。尾張屋さんの奉公は続けるんだろ？　だったらすぐにお帰りよ」

「もう町木戸も閉まる時刻だから無理だよ。おいらだって、毎日、怒鳴られてばかりだよ。特に番頭さんはおいらを親の敵みてェな眼で見るのさ。大嫌いだ、あんな奴。だけど、番頭さんは上方の本店に戻るから、少しは気が楽になると思うけど」

どうして忠助は作次を怒鳴るのだろう。おときの息子だったら、もう少し親身にしてくれてもいいだろうにと、おときは不満だった。

だが、明日はお帰りよ、とおときは二人に言った。おときは七つ（午前四時頃）前に日本橋へ行くつもりだから、その頃は、まだ二人は眠っているはずだ。そっと出かけるのだ。

おときがいないと知ったら、おやすなり、長屋の女房達が二人をどうにかしてくれるはずだ。

しかし、よりによって出立の前日に二人がやって来るなんて、よくよく自分はついていない女だと思った。腹が減ったという二人にお茶漬けを食べさせ、とり敢えず、蒲団(ふとん)に寝かせた。うまく事が運びますように、おときは神棚に掌(て)を合わせて祈った。

薄暗い部屋で手早く着替えを済ませ、足音を忍ばせておときは裏店を出た。門口の戸は開けて置くようにと、差配には言っておいた。

本石町の通りはひと気もなく、商家の軒行灯(のきあんどん)の灯(あか)りがぼんやりともっているだけだった。

おときは息を弾ませて日本橋に向かった。

忠助は橋の真ん中辺りで欄干(らんかん)にもたれて待っていた。まだ陽の目がないので、忠助の姿は黒い影にしか見えなかったが、携えている小田原提灯(おだわらぢょうちん)の灯りで、辛(かろ)うじて、忠助とわかった。

「忠助さん」

声を掛けると、忠助は顔を上げ、右手を挙げた。だが、その後で、力なく手を下ろした。

「遅くなったかしら」

おときは上ずった声で訊く。

「いや……こら、帰りなさい！」

突然、忠助は声を荒らげた。自分が言われたのかと、一瞬、胆が冷えたが、忠助はおときの後をついて来た作次に言ったのだった。

「あんた、どうしてついて来たの。駄目よ、おちよを一人にするなんて。おっ母さんは急ぎの用事があるから、お前はこのままお帰り。それからおちよが起きたらお師匠さんの家に連れて行き、お前はお店に戻るのよ」

おときはあやすように言った。

「おいらも一緒に行く」

「それはできないのよ」

「行くったら行く」

作次は頑固に繰り返した。

「お前のような小汚い餓鬼なんざ連れて行けるものか。尾張屋で奉公できるのは誰のお蔭だと思っている」

忠助は恩着せがましく言った。頼んだ覚えはねェ、と作次は口を返した。

「このう、黙って聞いてりゃ調子に乗りやがって、このどあほ、唐変木、できそこないの貧乏人、さっさと失せやがれ！」

　忠助はそう言って作次の腕を取り、その顔に平手打ちを喰らわせようとした。おときはさすがに見ていられず、やめて下さい、と制した。

「痛い目に遭わせなきゃ、こういう餓鬼は言うことを聞かないんだ」

「だからって、あんまりですよ。あたしの息子なんですから」

「もう、子供達にはけりをつけたはずじゃないのかい。今さら母親面をすることもないだろう」

　忠助は小意地悪く言う。おときは、その拍子に、かッと腹が立った。今まで言えずにいた言葉がするりと出た。

「忠助さんのおかみさんは病で亡くなったんじゃなくて、首を縊ったそうですってね。それ、本当のことですか」

「やぶからぼうに何を言う」

「はっきり応えて。あたし、うそをつかれるのがいやなんです」

「うそがいやだって？　小娘みたいなことは言いなさんな。あんただって今まで何をして来たか知れたものでもないだろう」

　その言い方におときの気持ちは傷ついた。

「あたしを上方に連れて行って、本当におかみさんにしてくれるんですか」

「何を今さら」

「はっきり応えて！」

「さあてね。どうなるかはお天道様でもご存じあるまいってもんだ」

忠助は、はぐらかした。

「騙したのね」

「これはずい分なおっしゃりようですな。上方でおもしろおかしく暮らさせてやろうと思ったわしの気持ちが仇となったようだ」

その時、おときは悟った。こいつはおやすが言ったように女衒のような男なのだと。江戸土産に亭主のいない女房を連れ帰り、怪し気な場所に叩き売る魂胆かも知れなかった。

すんでのところで気がついた。作次のお蔭だった。

「帰エろ、おっ母さん」

作次がおときの袖を引いた。

「そうだね。帰ろうね。さようなら、忠助さん。道中ご無事で」

おときは頭を下げ、踵を返し掛けた。

「待ちなさい。向こうには繋ぎをつけてあるんだ。今さら行かないと言われても困る。ここは是非にも言う通りにして貰わなければ」

「何んの繋ぎですか。このこと、尾張屋さんに洗い浚い喋ってやる！」

言った途端、眼から星が出た。忠助がおときの頬に平手打ちを喰らわせていた。おときは、きッと忠助を睨むと、お返しに忠助の頬を打ってやった。おときの力は存外に強かったようで、忠助はその場に蹲った。その隙におときは作次の腕を取り、一目散に弥三郎店に走った。忠助が後を追って来なかったのが幸いだった。

弥三郎店に戻ると、おちよが蒲団に起き上がって泣いていた。

「ごめんよ、ごめんよ。おっ母さんがばかだった。もう、どこにも行かなくていいからね」

おときはおちよを抱き締めて泣いた。作次にも、お前がいてくれたお蔭で、おっ母さんは助かったと言った。

「おいら、尾張屋に戻らなくていいのか」

作次はそれが肝腎とばかり訊く。

「ああ、おちよも一緒だ。でも、おっ母さんは、また夜のお仕事を続けなければならないから、二人とも我慢しておくれよ」

「平気だ、おいら。尾張屋にいるより何んぼかましだ」

「あたいも、おしょさんの家にいるより留守番するほうがいい」

「そうかえ。さあさ、ごはんを炊(た)こうかね。作次、通りに出て、納豆売りを見つけたら、買って来ておくれ」

「合点(がってん)！」

作次は張り切った声を上げた。ようやくあらぬ夢から覚める思いだった。うかうかと忠助について行ったら、どんな目に遭ったかわからない。自分は甘い女だった。茂吉が帰って来なくても、自分は子供達の母親でいようと、改めてそう思うのだった。

六

井筒屋の主の為五郎には、また働かせて下さいと頭を下げると、為五郎は、尾張屋の番頭のことは、もういいのかい、と訳知り顔で訊いた。

「ええ、もうけりがつきました。あたし、うまい言葉に騙されていたんですよ」

「これでよかったのさ。なに、あの人のことについちゃ、色々と悪い話を聞いていたからね。おときさんの眼が覚めて、おれも安心したよ」

為五郎は嬉しそうに言った。

作次は錺職人の仕事がしたいらしかった。おときは、少し落ち着くと、作次を連れて亀甲屋へ行き、親方とおくまにその話をした。

二人ともふたつ返事で引き受けてくれた。当分は住み込みで、使い走りや雑用が続くが、傍に茂吉がいれば安心だった。亀甲屋へ行った時、茂吉は外に出ていたので、話をすることはなかったが、しばらくすると、茂吉は弥三郎店に現れた。まともに口を利くのが照れ臭いのか、おちよを膝に抱えながら、作次は見込みがあると、親方が言っていたぜ、と低い声で言った。

「そう。作次は錺職人になりたかったから、これでよかったんだね」

「すまねェ。色々と迷惑掛けて」

改まって言われると、おときは何んと応えていいのかわからなかった。

「今は親方の家に作次と一緒に寝泊まりしているのよ」

「…………」

「作次は、お父っつぁんと寝るのは久しぶりだと喜んでいる」

「檜物町の人の所には泊まらないの？」

おときは怪訝な思いで訊く。

「もう、切れたよ」

「どうして」

「どうしてって、別におれは、あいつと一緒になるつもりもなかったし」

色に溺れただけかと思ったが、それは口にしなかった。

「小商い(こあきな)の見世を出したいから、金を用意してくれと真顔で言われた時は参ったぜ」

茂吉はため息交じりに続ける。

「お前さんにお金がないことは、最初(はな)っから承知していることだろうに」

おときは半ば呆れて言う。

「ねェところから金を作るのが男の甲斐性(かいしょう)だとけしかけるのよ。さすがにおれも白けた。断ると、亀甲屋の親方に手前ェ達のことを告げ口してやると脅(おど)して来やがった。女はつくづく怖(こえ)ェ」

茂吉は、しみじみした口調で言った。

「告げ口しに来たのかえ」

「来たのよ、これが。だが、そんなこたァ、親方もお内儀(かみ)さんも、とっくに承知していたことだから、まともに相手にゃしなかった。すると、手許のものが心細いから、少し用立ててほしいと言ったそうだ。お内儀さんは頭に血を昇らせて、他人の亭主を寝取っただけじゃ収まらず、金の無心までするのかと怒鳴り、竹箒を振り回して追い払ったそうだ。おれは幸い、客の家に行ってその場にゃいなかったがよ」

おくまの気持ちが嬉しくて、おときは涙ぐんだ。すまねェ、と茂吉はまた謝る。おちよは「今日のお父っつぁんは謝ってばかり。悪いことをしたの」と訊く。

「ああ、おっ母さんに、とびきり悪いことをしちまったぜ」

「悪いお父っつぁん。でも、あたいもおしょさんの家から逃げて来たから、あいこだね」

「そうか、あいこか」

茂吉は嬉しそうに応える。自分も一時は子供達を放り出して、別の道に行こうとしたから、茂吉ばかりを責められないと、おときは思う。しかし、それを茂吉には言えなかった。また修羅場になるのが怖かった。

「今月の晦日から、またちゃんと給金を入れるよ」

茂吉は機嫌のいい声で言った。

「そうかえ。助かるよ」

おときはぶっきらぼうに応えた。

「そいじゃ、おれはまだ仕事があるから帰ェるわ」

「お父っつぁん、お仕事終わったら帰って来る？」

おちよが心配そうに訊いた。茂吉は二、三度、眼をしばたたいてからおときを見た。

「おっ母さん、夜は井筒屋に働きに行くから、あたい、ひとりぼっちなの。作ちゃんもいないし。おしょさんの家にいるより留守番するほうがましと言ったけど、本当はひとりでいるのが怖いんだ」

おちよは甘えた口調で続ける。

「そうけェ、そいつは可哀想だな」

「だから、お父っつぁん、帰って来て」

おちよはおときの代わりに茂吉へ言ったようなものだった。

「帰ェって来てもいいのか」

おずおずと訊いた茂吉に、おときは思わず、ぷッと噴いた。照れ臭さが、そんな態度になったのだろう。

「笑うことじゃねェだろうが。おれは真面目な話をしているんだぜ」

「お前さんらしくない。帰って来たかったら、黙ってそうすりゃいいのさ。改まって訊かれると、こっちだって照れてしまう」

「そ、そうけェ」

茂吉は安心したように笑顔を見せた。この罪滅ぼしは働いてするからよう、と取り繕うように続ける。

「いいんだよ、そんなこと。あたしだって子供達には冷たい仕打ちをしていたから、おちよの言ったようにあいこさ」

「何んだよ、冷たい仕打ちって」

「ううん、何んでもない。ただ、何も彼も忘れて独りになりたかっただけ」

茂吉と自分が年寄りになった時、実はあの時こんなことがあったんだよ、と思い出話に紛らわせて打ち明けるつもりだった。それまでは胸にしまって置きたかった。そうすることが茂吉に対する思いやりでもあった。

「そいじゃ、仕事を終えたら、甘いものでも買って帰ェって来るわ。おちよ、何が喰いてエ」

「あたい、醤油団子。おっ母さんも好きだから」

「合点、承知之助だ」

茂吉はそう応えると、腰を上げた。

「さあて、晩ごはんは何にしようかね。青物茹でて、お魚焼いて。それから、それから」

茂吉が出て行くと、おときは独り言のように呟いた。ふいに込み上げて来るものもあった。半年足らずの間に起きたことが次々と思い出される。本当に、これですべて片がついたのだろうか。この弥三郎店で以前のように茂吉との暮らしが続くのだろうか。おときはまだ信じられない気持ちだった。それにしても、忠助と日本橋で待ち合わせた時、作次が後を追って来なかったら、自分は上方に向かっていただろう。

忠助の本心に気づいて引き返すことができたのは神仏の加護かとも思う。危ないところだった。思い出す度、胸がひやりとする。

井筒屋に頭を下げた手前、すぐには辞める訳に行かない。次の女中が見つかるまで当分、働くつもりだった。茂吉もそこは了簡してくれるはずだ。

おときはおちよを連れて買い物に出た。外はすでに秋の気配が忍び寄っていた。ふと気づけば、町医者の石井道庵の庭が、妙にさっぱりして見える。塀の傍の樹木の枝が払われたせいだと、すぐにわかった。どうせなら、もう少し早くしてくれたらいいものを。おときは苦笑しながら思った。

「青物茹でて、お魚焼くんだね」

おちよはおときを見上げて訊く。

「ああ、そうさ。お父っつぁんの好物だからね」

「おまけに醤油団子もある。あたい、滅法界もなく倖せだ」

「おちよの倖せはお手軽だね」

「だって、おしょさんの家のごはん、毎日、ひじきの煮物と漬け物ばかりだったんだもの」

「辛かったんだねえ。ごめんよ。おっ母さんが悪かった。これからは何があってもおちよをよそへやったりしないよ。約束する」

「うん」

おちよはおときの胸の内を察しているのか、そうでないのか無邪気に応えた。

見上げた空には鱗雲(うろこぐも)が繋(かか)っている。耐え難い夏は、ようやく終わったようだ。

嫁が君

一

江戸は秋の爽やかな日々が続いていた。日本橋本石町にある弥三郎店の女房達も、ようやく、ぐっすり眠れるようになったと、朝の挨拶がてら話している。

鉄五郎の女房のおやすは、他の女房達のように秋を迎えたことを素直には喜べなかった。秋の次は凍えるような冬がやって来る。今より炭代が掛かるだろうし、お正月の用意もあれこれしなければならない。何んにつけても、もの入りだ。そのくせ、大工の鉄五郎の仕事は年末に掛けて少なくなる一方である。正月までに是非とも家を手直ししたいという奇特な客も、たまにはいるが、おおかたは、正月前は気忙しいので、ばたばたしたくないと言って、家の手入れを後回しにしてしまう。冬の暮らしに、よいことなど、ひとつもないような気がする。だから、もう秋だ、すぐに冬になると思えば、おやすは重い気持ちになるのだ。

おやすは日中、近所にある親戚の莨屋「旭屋」を手伝っている。毎月貰う給金は雀の涙だが、それでも家計の足しになっている。旭屋は到来物の多い家なので、お裾分けにあずかるのも度々だ。その他に、本所にいる鉄五郎の妹が自分の家の畑で採れた青物を届けてくれる。今のところは、よそより少しは余裕のある暮らしをしていると思う。鉄五郎は内心で、おやすが旭屋を手伝っていることがおもしろくないらしい。手伝いなんて、さっさとやめて、ずっと家にいてほしいのだ。だが、もしも鉄五郎の仕事が切れたらと考えると、おやすは、とてもそうする気になれなかった。子供でもできたら、いやでも手伝いはやめなければならないだろう。それまでは続けるつもりだった。旭屋のお内儀のおかねもそう言ってくれていることだし。

おやすがことさら、もしものことを考えてしまうのは、薬種屋を営んでいた父親が借金を抱え、借金取りから逃れるために表戸を閉てて居留守を決め込んだ時のことが忘れられないせいだ。あんな惨めな思いは二度としたくなかった。

今は兄達が細々と商売を続けている。奉公人が皆、辞めているので、兄達も生きるために家業をするしかないのだ。おやすは旭屋の手伝いをするようになってから、実家と行き来していなかった。

おやすは一度離縁している女である。いわゆる出戻りだった。実家の両親や三人の兄は世間体を考え、おやすが顔を出すことを喜ばない。おかねが鉄五郎と再婚したことを知らせると、僅かばかりの祝儀を持たせて寄こしたが、家族の誰一人、弥三郎店を訪ねて来たことはない。裏店住まいをしているおやすが恥ずかしいのだ。最初に嫁入りした先が大きな薬種問屋だったから、なおさらだろう。

なにさ、見栄ばかり張っているから商売が傾いたんだ。おやすは一人になった時、実家の家族の悪態をついている。

おやすは、今の暮らしに結構、満足していた。

鉄五郎は少々理屈っぽいところが玉に疵だが、性格は真面目だし、一生懸命働く男だ。晦日には、きちんと給金を渡してくれる。文句を言ったら罰が当たるだろう。まだ若いのだし、鉄五郎のがんばり次第で、その内に晴れて一軒家を持てるかも知れない。

しかし、先のことなど誰にもわからない。それよりも日々の暮らしのことを考えるのが肝腎だった。鉄五郎は、去年は暮の二十日過ぎまで仕事があったと言っていたが、今年はどうだろう。

今は品川町の仏壇屋の増築をしているが、それが終われば、次の仕事の目処は立っていない。おやすは口にこそ出さないが、もしや今年の仕事はこれでお仕舞いだろうかと、漠然とした不安を感じていた。弥三郎店の店子達も同じような暮らしぶりだが、女房達はおやすのように不安そうな表情をしていない。
亭主の稼ぎが悪いので、店賃はふた月も溜まっていると平気な顔で言う者もいる。おやすは自分がその立場になったら、気が気でないと思う。明日は明日の風が吹く、何んとかなるさと呑気に構える女房達が、おやすは内心で羨ましかった。それぐらいでなければ、世知辛い世間を渡っていけないような気もするが。

朝は鉄五郎に弁当を持たせて送り出すと、おやすは大急ぎで掃除と洗濯を済ませ、本石町の表通りに見世を構える旭屋へ向かう。そこで日がな一日、訪れる客に莨を売る。お昼はお内儀のおかねが用意してくれたものを食べる。以前は暮六つ（午後六時頃）まで見世にいたが、鉄五郎と所帯を構えてからは、だいたい七つ（午後四時頃）を過ぎれば帰して貰っている。晩めしの買い物をして弥三郎店に戻ると、干していた洗濯物を取り込み、晩めしの用意をして鉄五郎の帰りを待つのだ。

鉄五郎は判で押したように本石町の時の鐘が暮六つを告げると戻って来る。夏場は毎日のように「富士の湯」へ行っていたが、近頃は一日おきか二日おきだ。おやすも一緒に行くので、晩めしはその後になる。時々、湯屋の帰りに本銀町にある居酒見世「井筒屋」に寄って晩めしを食べることもある。それだって、おやすが幾らか稼ぐからできることなのだ。そこのところを鉄五郎が本当にわかっているかどうかは疑問だった。まあ、おおかたの亭主は、暮らしについては無頓着なものだから、おやすも恩着せがましいことは口にしなかった。口にすれば喧嘩になるし。

いつものように旭屋の帰りに魚屋へ寄り、鉄五郎の好物の鰈があったので、それを求め、煮つけにして食べさせようと心積もりして弥三郎店の住まいに戻った。

日暮れが早くなり、土間口の油障子を開けた時、部屋の中は仄暗かった。行灯を点ける前に、煙抜きの窓を開け、そこから射し込む陽の目を頼りにおやすは鰈を手早く捌き、醤油と味醂と少しのだしで鰈を煮つけた。鉄五郎が大喜びする顔を想像すると、おやすは思わず笑いが込み上げた。それから青菜を茹で、ごま汚しを拵えるために、棚の上の乾物が入っている木箱を下ろした。

木箱は鉄五郎が拵えてくれたものだ。中には昆布だの、ごまだの、葛粉だのを入れている。ところが、どうした訳か葛粉の紙袋に引っ掻き傷がついており、白い葛粉がこぼれていた。うっかり破ってしまったのだろうか。おやすには、ちょっと覚えがなかった。

そのまま、ごまを取り出し、鉄鍋で軽く炒ってから擂り鉢で丁寧に擂り、味つけしてごま汚しを拵えた。

二人分の箱膳を部屋の真ん中に運び、食器を揃えると、鰈の煮つけの皿とごま汚しの小鉢を並べ、鉄五郎が大事にしている糠床から取り出した白かぶと茄子の漬け物も切って載せた。

さあ、これで晩めしの仕度は調った。後は横に燗をつけた銚子を並べれば完璧だった。おやすはいそいそと、一升徳利から銚子に酒を注ごうとした。一升徳利は米櫃の横に置いてある。

それを手に取ろうとした時、米櫃の周りにぱらぱらと米粒が散らばっているのに気づいた。米櫃も鉄五郎の手作りで、中には一合升を入れてある。蓋は板に取っ手をつけただけの簡単なものだ。

釜に米を入れた時、うっかりこぼしてしまったのだろうか。自分は、そのような迂闊なことはしないはずなのにと、怪訝な思いがした。

米櫃の蓋が僅かにずれていたのも妙な気がしたが、おやすはひと粒ずつ拾って米櫃に戻した。そんなところを鉄五郎に見つかったら雷が落ちる。おやすは焦っていた。

ようやく米粒を拾い終えると、おやす、今、帰ェったぜ、と鉄五郎の声がしたので、おやすは、ほっとした。

「お帰りなさい。湯屋はどうします？」

何事もなかったような顔で鉄五郎に訊いた。

「昨日行ったから、今日はいいや。大して汗もかかなかったし。おッ、鰈の煮つけじゃねェか。うまそうだな」

鉄五郎は相好を崩した。それから、夫婦二人のささやかな晩めしが始まった。

鉄五郎は酒の酔いが回ると、その日のでき事をおやすに話す。建て主の家族の様子だの、一緒に働く仲間が、あんなことを言っただの、こんなことをしただのと。話を聞くのも気骨が折れる。さっさと仕舞いにして寝てくれないだろうかと、おやすは思っている。だが、無口な亭主を持つ女房は、鉄五郎さんは何んでも話してくれるからいいね、と羨ましがる。

その女房は、所帯を持つまでは口数の少ない亭主を男らしいと思っていたが、蓋を開けて見れば、ただの無口だったと言って、おやすを笑わせたものだ。全く喋らないのは困るが、鉄五郎のように洗いざらい喋る男もどうかと思う。その口を、たまには閉じたらどうだえ、と喉元まで出そうになるが、やはり、おやすは言えない。この世にたった一人の大事な亭主だ。

鉄五郎は銚子一本の酒をちびちび飲んでから、ようやくめしにした。鰈は骨しか残さず、さらに湯を注いで啜る。残った骨はすっかりだしも抜け、猫にやってもそっぽを向くだろう。

箱膳を片づけて、蒲団を敷くと、鉄五郎は満足そうに横になり、すぐに寝息を立て始めた。やれやれ。おやすは安堵の吐息を洩らすと、晩めしの食器を洗い、翌日の米を研いで水加減し、竈に載せた。そうして置けば、早起きの鉄五郎はおやすが寝ている間に竈に火を入れてくれる。よその亭主はそこまでしないので、おやすも大層助かっていた。

顔を洗い、寝間着に着替えると、鬢が崩れないように元結を長くしたもので頭を巻き、へちま水を顔になすりつけてから寝るのが、おやすの長年の習慣だった。五つ（午後八時頃）には行灯の油を惜しんで二人は寝てしまう。

蒲団に入っても、まだ起きている店子達のもの音が聞こえる。子供の泣き声、それを宥める母親、胴間声で戯れ唄をうたう者に、壁を叩いて、静かにしておくれと文句を言う隣りの女房。弥三郎店は相変わらず賑やかである。

しかし、四つ（午後十時頃）も過ぎれば、辺りは、しんと静まる。木戸番が夜廻りに拍子木を打つ音と、按摩の笛、野良犬の遠吠えぐらいしか聞こえなくなる。

ふと、がさごそと音がして、おやすは耳を澄ました。何んだろう。床下から聞こえるような気がしたので、野良猫でも縁の下にもぐり込んだのだろうかと思った。だが、その内に台所の流しの辺りにもの音が移る。行灯を消しているので、部屋の中は真っ暗だ。いやだ、中に入り込んでいたら、どうしよう。おやすは心配で、その夜はよく眠れなかった。

二

翌朝、鉄五郎は血相を変えておやすを起こした。

「何？」

「おやす。お前エ、ゆんべ米を計った時、米粒をこぼしやがったな。もったいねエことをするな」

「こぼしちゃいないよ」

おやすは寝ぼけまなこだったが、はっきりと言った。昨夜は気をつけて釜に米を入れたので、そう言った鉄五郎の言葉が解せなかった。

「見ろ、米櫃の周りを。旭屋の手伝いをしているから、めしの仕度もおざなりになるんだ」

「だから、あたしじゃないってば！」

おやすは声を荒らげた。米櫃の周りには、昨日と同じように米粒が散らばっていた。

「夜中にがさごそと、もの音がしていたのよ。何んだろうと気になってはいたんだけど」

おやすは、ふと思い出して言った。

「え？　おやすじゃねェのかい」

「当たり前よ」

「じゃあ、ねずみか……」

鉄五郎がそう言った途端、おやすのうなじがちりちりと痺れた。おやすは何がいやだって、ねずみを見るのがこの世で一番いやなのだ。人によっては蛇に怖気をふるう者もいるが、おやすは蛇を見ても何んとも思わない。

だが、ねずみは駄目だ。鞭のような尻尾もいやだ。小さい身体ですばしっこく動き回り、簡単に捕まえることができない。丈夫な歯で人の住まいに穴を開けて忍びこみ、餌になりそうなものを漁る。一度、通り道ができると、もうこっちのものだとばかり、しつこくやって来る。子供の頃、父親と兄達が茶の間に現れたねずみを必死の形相で追い掛けたことがあった。二番目の兄は笊を被せて捕まえようとした。しかし、笊の目が大きかったので、ねずみは易々と通り抜けた。半刻（約一時間）も掛けてようやく捕まえたが、皆、全身を汗みずくにしていた。その間、おやすは母親と恐ろしさに抱き合って、なりゆきを見ていたものだ。

水瓶に溺れ死んだねずみが浮いていたこともある。水を飲もうとして足を滑らせたらしい。女中が白けた顔で水を捨てていたことも覚えている。ねずみについて、いい思い出がひとつもないので、おやすはなおさら厭わしい気持ちが募る。今では姿を見ただけで悲鳴が出た。

「帰りに石見銀山を買って来らァ」

鉄五郎はおやすを安心させるように言った。

石見銀山とは、銀山から採れる砒石で作ったねずみ取りの薬だった。その触れ売りも市中ではよく見掛ける。「石見銀山鼠取受合薬」という幟には、ねずみが皿に入れた薬を食べている図が染め抜いてある。だが、効果は本当にあるのだろうか。「いやみ銀山、ねずみ取らず」などと、洒落のめす者もいるからだ。

鉄五郎はおやすほどねずみをいやがっていない様子である。そんなところは、さすがに男だと思う。首尾よくねずみが石見銀山を食べて退治できたとしても、部屋のどこかで死んでしまったら、鉄五郎が帰るまでおやすは始末ができないと思う。あれやこれや考えると、おやすは頭がくしゃくしゃになりそうだった。

鉄五郎は、餌になりそうなものを出しておくなと念を押して、仕事に出かけた。

米櫃の蓋の上に重しにするため鍋を載せた。乾物の箱も、きっちり蓋をした。元々、蓋つきだったのだが、出し入れの手間を省こうと開けっ放しにしていたのが悪いのだ。

その朝は掃除をはしょり、洗濯だけして旭屋に出かけるつもりだった。

「お早う、おやすちゃん。旦那は仕事に行ったのかえ」

おすがという独り暮らしの年寄りの女が笑顔で声を掛けた。

「お早うございます。ええ、うちの人はとっくに出かけましたよ」

「何んだか冴えない顔をしているが、出がけに喧嘩でもしたのかえ」

おすがは、おやすの表情を見て、心配そうに訊く。

「いいえ。喧嘩なんてしませんよ。ねずみが出ただけですよ。米櫃の米をくすねたり、葛粉を入れていた紙袋を破ったりしたんで、ちょっと、げんなりしているんです」

「ねずみだって？」

おすがは驚いた顔をして、周りにいた女房達に、あんたの所は大丈夫かえ、と訊いた。

「今のところ、うちは何んともありませんが」

錺職人の女房のおときが応える。他の女房達も、ねずみが出た様子はないという。よりによって、自分の住まいだけが被害に遭っているのはどうしたことだろう。日中、住まいに誰もいないので、ねずみはこれ幸いと入り込んだのか。

「うちの人、帰りに石見銀山を買って来ると言ってましたが」

おやすは心細い気持ちで女房達に言った。

「ねずみは利口だから、うまく喰いついてくれるだろうかねえ。ねずみだけならいいが、飼い猫がうっかり口にしたら、死んじまう恐れがある。おたまさん、みィちゃんが喰わないように気をおつけよ」

棒手振りの青物売りをしている梅蔵の家は三毛猫を飼っている。子供がいないので夫婦で可愛がっている。女房のおたまはおすがの言葉に、おやすさん、外に石見銀山をばら撒くんですか、と緊張した顔で訊いた。

「いいえ。家の中だけにしますから、ご心配なく」

おやすはおたまを安心させるように言った。

「金物でできたねずみ取りがありますから、よかったら使って下さいな」

おたまは親切にそう言った。そういや、うちにもあった、他の女房達も言い添える。朝の内にねずみ取りばかり、三台も集まってしまった。そのねずみ取りは餌を中に入れ、ねずみが入り込んだところで入り口が閉じる仕掛けになっている。言わば生け捕りだ。捕まえたら、水を張った桶に入れて殺すのだという。聞くだに恐ろしい。

おやすは、ねずみ取りの仕掛けをせず、土間口に置いたままで旭屋に出かけた。

旭屋のおかねにもねずみの話をした。

「ねずみは頭がいいから、人の話をじっと聞いているんだ。いいかえ、ねずみのねの字も言っちゃいけないよ。また、ぶっ殺してやるなんてことは、間違っても口にしちゃならない。当てつけに、もっと悪さをするからね」

おかねは、おやすに注意を与えた。

ねずみは自分達がねずみという名で呼ばれていることを知っているのだろうか。まさかという気がした。

おかねは訳知り顔で、養蚕（ようさん）をする地方では、ねずみはお蚕（かいこ）さんの敵だから、ねずみと口にしただけでも飛び出して来るという。それで、その地方の人々は「嫁（よめ）が君（きみ）」と隠語で呼ぶのだそうだ。

「ねずみは人間様を怖がらないんですか。捕まったら殺されるのに」

おやすは納得できなかった。

「そりゃ、怖いに決まっている。だが、生きるために必死なんだよ。とことん追い詰められたら、猫にだって飛び掛かって行くよ」

窮鼠猫を噛む、の諺は、あながちうそではないらしい。特に母ねずみは子ねずみのために危険を厭わず、餌を探すものらしい。それに、一匹ねずみが出ると、陰に七匹のねずみが隠れているというのも、おやすの恐怖を煽った。その日はねずみのことを考えて、おやすは、心ここにあらずという態だった。

鉄五郎は石見銀山を買って帰って来たが、それよりも次の普請現場が染井の植木屋になったので、当分、向こうに泊まり込んで仕事をすることになったと、上機嫌で言った。

「通いで仕事はできないのかえ」

おやすはねずみのことがあるので心細かった。

「ばか言うねェ。現場へ通う道中だけでも一刻(約二時間)は掛からァな。往復で二刻だ。それだけで仕事の手間を半分も喰っちまう。ほんのひと月の間だから辛抱しな。めしは向こうで用意してくれるし、寝泊まりする部屋もまともだ。帰りにゃ、おやすが喜びそうな鉢植えでも買って来らァ」

　鉄五郎が染井に行っている間、めしの仕度はいらないので楽になるが、やはりおやすは不安だった。自分一人で、どうやってねずみに立ち向かえばよいのか。鉄五郎の言うほんのひと月が、半年の長さにも思われた。

　品川町の現場は翌日で終わり、後片づけをして、翌々日には仲間と一緒に染井に向かうという。その夜も、ねずみがものを齧るかりこりとした音が聞こえた。使わなくなった皿に石見銀山を入れて米櫃の傍に置いたが、翌朝になると、皿から薬を蹴飛ばしていて、さっぱり口にした様子はなかった。

　旭屋に来る客から、ねずみは薄荷の匂いを嫌うと聞いて、おやすは薄荷入りの歯磨き粉を三袋も買って台所の周辺に置いたが、それもさして効果はなかった。

　いったいねずみはどこから現れるのだろうか。

　おやすは住まいの周りをくまなく調べた。

　すると、狭い裏庭の、ちょうど隣りの家との境に小さな穴が開いているのに気づいた。

　周りに生えている雑草にもなぎ倒されたような跡があった。そこから侵入したのだと思うと、傍に落ちていた石で穴を塞いだ。ひとまず、これで様子を見よう。それから、米櫃の周りに葛粉をばら撒いた。ねずみが出れば、その葛粉に足跡がつくはずだ。出入り口を塞がれたのだから、ねずみも諦めるに違いない。

おやすは淡い期待を胸にしていたのだが。

三

しかし、ねずみは性懲りもなく出没した。撒いた葛粉にはねずみの足跡がくっきりと残っていた。石見銀山の薬は相変わらず蹴飛ばされる。薄荷の匂いが強くする部屋で、おやすは恐怖に脅えながら日々を過ごしていた。

まだ鉄五郎が染井に出かけてから十日も経っていなかった。

旭屋のおかねは、そんなにねずみがいやなら、うちにお泊まりよ、と勧めてくれたが、そんなことをしても問題は解決しない。それどころか無人の家でねずみが勝手に動き回り、ついには裏店一軒、巣と化したら何んとしよう。夜は行灯を消すのも不安で、贅沢だが、点けて眠ることが多くなった。鉄五郎に後で文句を言われても、構うものかと思った。鉄五郎は不安を抱えるおやすに構わず、さっさと染井に行ってしまったのだから。向こうで、うるさい女房がいないのをこれ幸いに、仲間と毎晩、居酒見世にでも繰り出しているのかと思えば腹が立つ。小遣い銭も少し多めに持って行った。行灯の油ぐらいなにさ。

　夜中のもの音はやまない。おまけに天井裏からも走り回るような音がする。なりが小さいので、それほど大きな音ではないが、それでもおやすを怖がらせるには十分だ。不思議なことに、おやすはまだ、その姿を見てはいなかった。寝る前に葛粉を撒くのも習慣になった。朝には、点々と足跡がついている。なのに、姿は見えない。ねずみはおやすが考えていた以上に警戒心が強く、また、すばやい行動をする生きもののようだ。

　ずっとねずみのことを考えていると、ちょっとしたもの音にも心ノ臓がどきりと音を立てる。おやすの心持ちも少々、おかしくなっていたのかも知れない。訳もなく涙が出ることもある。ねずみ一匹に悩まされる自分が心底、情けなかった。

　そんな折、弥三郎店に新しい店子が入ることとなった。大伝馬町（おおてんまちょう）の駕籠屋（かごや）「和泉屋（いずみや）」の駕籠舁（か）きをしている六助（ろくすけ）という男と、その女房のおひさだった。六助は駕籠舁きをしているだけにがっしりとした身体をしている。特にその肩幅が立派だ。眼は細いが、ざっくりと揃った歯が白い。背丈も六尺近くあるのではないだろうか。女房のおひさは六助に比べて呆（あき）れるほど小さな女だった。だが、働き者で、日中は兄夫婦が営む煮売り屋を手伝っているという。いつもにこにこして明るい女である。六助夫婦は、のし紙を掛けた手拭いを携えて長屋中の皆んなに挨拶して回った。

手拭いは買うとなったら三十七、八文もするので、これには誰もが喜んだ。

六助は三十をちょいと過ぎた年頃に思える。おひさは二十歳ぐらいで、おやすとあまり年の差はなさそうだ。二人は以前に喜助という左官職人が住んでいた所に入った。

「六助さんは頼もしい身体つきをしているねえ。あの身体で抱きすくめられたら、気が遠くなりそうだよ」

おすがはそんなことを言って、女房達を笑わせた。

「色気もそっけもなくなったおすがさんの言葉とは思えませんね」

おときがからかう。その拍子におすがは眼を剝き、何を言ってるんだい、幾つになっても、おなごは様子のいい男が気になるものさ、それがなくなったら、お迎えが近いというものだ、と応えた。

おやすは別の意味で六助を亭主に持つおひさが羨ましかった。ねずみが出ようが出まいが、六助が部屋にどんと構えているだけで安心できそうな気がした。鉄五郎が帰って来るまで留守番に借りたいとさえ思った。それほど、おやすの気持ちは追い詰められていた。

六助の仕事は交代制で、ひと廻り（一週間）ごとに早番と遅番があった。早番は普通の奉公人達のように朝から夕方まで働き、遅番は暮六つ過ぎから夜中まで働くのだ。おひさも毎日、兄夫婦の店に手伝いに行くので、すれ違いになることも度々だという。

「でもね、ごはんの用意をしておけば、うちの人、何んにも文句は言わないのよ。自分でごはんをよそって食べているの。お菜は兄さんの店の余りものがほとんどだけどね。使ったお茶碗もちゃんと洗っといてくれるの」

朝に井戸端に女房達が集まった時、おひさは嬉しそうに話していた。退屈な毎日だから、新しい店子の話は女房達にとって新鮮だった。亭主の愚痴をひとつもこぼさないおひさが、おやすには感心な女に思えた。

六助夫婦が越して来て、十日ほど経った頃だろうか。おやすが旭屋から戻ると、井戸端におすがとおとき、それにおたまが、ひそひそと話をしていた。辺りはすっかり暮れている。そんな時刻に三人が外に出ているのも珍しい。おやすは鉄五郎がいないので、近頃は晩めしも旭屋で済ませている。帰りもいつもより遅いので、なおさら三人が話をしているのが妙に感じられた。

「おやすちゃん、お帰り」

おすがは、おやすに気づいて声を掛けた。

「ただ今戻りました。皆さん、どうかなさいましたか」

家に入る前におやすは何気なく訊いた。すると、おたまがこっちへおいでと言うように手招きした。

「これはうちの人から聞いたことなんだけど、あの六助って人、寄せ場帰りなんですって」

寄せ場帰りのところでおたまは声を低めた。

それがどうした、とおやすは言いたかったが、三人は大事件でも起きたような様子だったので、黙っていた。石川島にある人足寄せ場は無宿者や軽犯罪の咎人が送られる場所である。そこで三年ほど過ごし、様々な仕事を身につけて戻って来る。六助は体格がよかったので奉行所の口利きで和泉屋に雇われたのだろう。

「怖いですねえ。そんな人がこの長屋にいると思えば、夜もろくろく眠れませんよ」

おときもおたまに同調しているような言い方をする。ねずみよりましじゃないか、おやすは内心で思ったが、やはり黙っていた。

「大家さんは知っているんだろうか。知っていて、この長屋に入れたとしたら、あたしらもずい分、舐められたものだ」

おやすは思わず、カッとなった。ずっとねずみに悩まされていたので、胸に溜まるものもあったのだろう。

「おすがさん、どうしてあたし達が大家さんに舐められたと思うのですか」

「どうしてって、おやすちゃん。あんたも世間知らずだねえ。たとい、けちな裏店でも入るとなったら、それ相当の手続きがいるよ。請け人（身元保証人）も立てなきゃならない。寄せ場帰りの男の請け人なんざ、誰がなるもんか。大家さんは空き家にしておくより、幾らかでも店賃が入るほうがましだと思い、おおかた、手前ェが請け人を引き受けたのだろうよ」

「今が真面目なら、前のことなんてどうでもいいじゃないですか。誰だって、人に触れられたくないことのひとつやふたつはありますもの」

「そうだよねえ、おやすちゃんだって鉄五郎さんと一緒になる前は一度離縁していることだし」

おときはしゃらりと言う。この女。おやすは唇を噛み締めた。自分だって一時は二人の子供を捨てようとしたくせに。だが、それを言えば売り言葉に買い言葉の喧嘩になる。おやすはぐっと堪えた。

その時、六助の住まいの油障子ががらりと開き、おひさが仁王立ちになって、こちらを睨んだ。もっとも、辺りは暗いので、その表情はわからなかったが。

「言いたいことを言ってくれるじゃないか。うちの人があんたらに何か悪さでもしたのかえ」

おひさは興奮して大声を上げた。六助は遅番なのか、中にはいなかった。おやすは慌てておひさに近づき、ごめんなさいね、つまらない話を聞かせてしまって、と謝った。

「請け人はあたしの兄さんだ。だが、大家さんには、ちゃんと事情を話しているよ。和泉屋はうちの人が十五の年から奉公している店だ。侍の客を乗せて、手間賃に文句をつけられたことが原因で、うちの人は殴って怪我を負わせてしまったんだ。相手が町人だったら、菓子折のひとつも持って謝りに行けば済んだ話さ。ところが侍となりゃ、札の切りようもない。うちの人をしょ引いて、寄せ場送りにでもしなけりゃ、相手は承知しなかったんだ。え？　そんなことも知らずに、勝手なことをほざいて、あんたら何様だ！」

おひさは必死で亭主を庇う。そんなおひさを見ていたら、おやすは思わず涙が込み上げた。

「おやすさん……」

　泣き出したおやすに、おひさの勢いが弱まった。

「何んで泣くんだえ」

　おひさは反対におやすの肩を抱いて宥める。何か言おうとしたが、おやすは言葉にできなかった。三人の女は白けた様子でようやく引き上げて行った。

「ちょっと、中に入って休んで下さいな。お茶を淹れますから。うちの人は遅番でいないので、遠慮はいりませんよ」

　おひさはおやすを誘う。

「いいの？」

「ええ、構いませんよ。おやすさんのご亭主は出稼ぎに行っているのでしょう？　だったら、ゆっくりしていって」

「ありがとう」

　部屋の中はあまり片づいておらず、六助の着物や帯が隅に放り出されていた。おひさはそれを気にするふうもなく、急須に茶の葉を入れ、鉄瓶の湯を注いだ。

「うちの人のことは、いつかは長屋の人達に知れるだろうと思っていましたよ。でも、陰でこそこそ言われると、やっぱり腹が立って。うちの人が客を殴ったのは悪い

ことだけど、相手の侍は、はなっから駕籠代を払う気がなかったんです。うちの人は
それを知って、手前ェ、ふざけるなと頭に血が昇ったんですよ」

「六助さんの気持ちはわかりますよ。うちの人も似たようなところがあるから」

「和泉屋の親方も、うちの人の気持ちがわかっていたから、寄せ場での年季が明けたら、また働いて貰うと言ってくれたんですよ。その言葉にうそはなかった。あたし、うちの人と一緒になる約束をしていたので、寄せ場に送られる前に、待っているからと言ったんです。うちの人は、他にいい男を見つけな、と言いましたけどね」

「でも、おひささんは承知しなかったのね」

「ええ。兄さんの店は和泉屋の近所にあるんです。うちの人は住み込みだったので、時々、酒のあてにお菜を買ってくれていたんです。それで口を利くようになって」

「お兄さんは六助さんが寄せ場送りになると決まったら、諦めろと言わなかった？」

「そりゃ、言いましたよ。でも義姉（ねえ）さんがあたしの気持ちを汲（く）んで、兄さんを説得してくれたの。義姉さんはうちの人のこと贔屓（ひいき）にしていたから」

「一人でも味方がいてよかったこと」

無事に年季を終えた六助は、まっさきにおひさの所へ駆けつけたという。

「あたし、人目も憚（はばか）らず、あの人に抱きついて、声を上げて泣いたんだ」

おひさはその時のことを思い出して眼を潤ませた。さぞかし、おひさの胸は嬉しさで、きゅんと疼いたことだろう。それから形ばかりの祝言を挙げ、この弥三郎店にやって来たのだ。

「ところで、この間から、おやすさんはずっと元気がないので、少し気になっていたんですよ。ご亭主がいなくて、よほど寂しいのかと」

おひさは自分の話を終えると、心配そうに言った。

「そうじゃないんです。うちにねずみが出て、もう、気が気じゃないんですよ」

「まあ、ねずみですか」

「あたし、ねずみがいっとう苦手で。おひささんは平気？」

「平気じゃないですけど、おやすさんのように元気をなくすほどにはなりませんよ。ねずみ除けには猫を飼うのが一番いいのだけど、おやすさんは日中、仕事をしているので、世話もろくにできませんよね。おたまさんの猫を借りる訳にも行かないし……そう言えば、この辺りは野良猫の姿もあまり見えませんね。ねずみが出たのは、そのせいかしらね」

「そうかも知れません」

「うちの人に話しておきますよ。何か手立てを考えてくれると思いますから」

「ありがとう、おひささん」

お茶を飲んで、おやすの気持ちが少し落ち着いた。おやすは礼を言って、ようやく自分の住まいに戻ったのだった。

だが、行灯を点けて、畳んだ蒲団の傍に置いてある乱れ籠を見て、ぎょっとなった。そこには洗ったばかりの肌襦袢や腰巻が入っていたが、その肌襦袢が穴だらけになっていた。餌になりそうなものがないので、ねずみは代わりに齧ったらしい。小さな穴が十もできていて、継ぎをしたところで間に合いそうもない。

「ちきしょう！」

おやすは男のように吼えた。ねずみはおやすを舐めて掛かっている。怖がるおやすをあざ笑っているかのように。

「こうなったら……」

おやすは奥歯を噛み締めて思った。絶対に退治してやる。

四

翌朝、六助がおやすのところを訪れ、ねずみはどんな按配ですか、と訊いた。まだ眠いだろうに、おひさから話を聞くと、すぐに様子を見に来てくれたのだ。どちらかと言えば、無表情な男である。だが、へらへらしている男より、ずんとましだった。

「餌になりそうなものは出していなかったんですよ。そうしたら、あたしの肌襦袢を齧ってぼろぼろにしちまいましたよ」

おやすは情けない声で言った。

「ちょっと、中を見ていいですかい」

六助は遠慮がちに言って、部屋に上がり、ねずみの出そうな場所に注意深く眼を向けた。

台所の床にある金物のねずみ取りに気づくと、どうしてこれを使わねェんで、と訊く。

「どうしてって……」

「やり方がわからねェんですかい」

「ええ、まあ」

ねずみ取りに引っ掛かった姿を見るのがいやと言っても苦笑されるだろうから、おやすはお茶を濁して応えた。

「ようがす。あっしが餌になりそうなものを持って来て仕掛けますよ。もう、二、三日の辛抱ですぜ」

そう言った六助の言葉が頼もしかった。六助が帰ってほっとした時、屋根裏を走るもの音が聞こえた。ねずみはこの家に棲みついている。六助とのやり取りを聞いていたかも知れない。おやすは新たな不安に脅えた。

六助はどこからか獣の脂身を手に入れて、ねずみ取りに仕掛けてくれた。ねずみは元々、魚よりも獣の肉を好むという。脂身には肉の破片もくっついていたので、餌としては最適だった。

薄荷と獣の脂身の匂いで、部屋の中は咽るようだったが、文句を言ってはいられなかった。

そして、二、三日したある夜、ねずみ取りの口がぱたりと閉じる音がした。掛かったのか、掛からなかったのか。台所から見えない位置に蒲団を敷いていたので、おやすにはよくわからなかった。鳴き声もしない。まんじりともしないまま夜が明け、そっと台所を覗くと、ねずみ取りに黒い影が見えた。

引っ掛かった！　おやすは蒲団の上にぺたりと座り込み、荒い息を吐いた。しかし、後の始末を考えると、気が重くなった。ここはまた、六助に頼むしかない。ねずみの姿を見たくないので、おやすは穴を開けられた肌襦袢を、眼を瞑りながらねずみ取りの上に掛けた。ねずみは、不安を感じて、鋭い鳴き声を上げた。チュウチュウではなく、ひよどりのように、ギャッギャッとけたたましい。薄く眼を開けると、長い尻尾が見えた。およそ三寸もあるだろうか。

寝間着の上に半纏を引っ掛けただけの恰好でおやすは六助の住まいに行った。

「おやすさん、うちの人、今日から早番なので、出かけちまいましたよ。夕方には戻りますから」

おひさは気の毒そうに言ってくれた。夕方までねずみをそのままにしていなければならないと思うと気が滅入るが、仕方がなかった。

納豆で朝めしを済ませると、いつものように掃除と洗濯をして旭屋に出かけた。

旭屋にいても、ねずみのことが気になった。

ねずみ取りに引っ掛かった話をおかねにすると、よかったと言ってくれたが、自分に関わりのないことなので、すぐに話題を変えてしまった。これが自分の家で起きたとなると、大騒ぎして、二六時中、喋っているくせに。

おかねとおやすとは直接の血の繋がりがない。あるのは旭屋の主の惣八である。惣八は母親のまたいとこに当たる。またいとこというのも中途半端な関係だ。親戚には違いないが、人によっては全くつき合いをせず、ほとんど赤の他人に等しい場合が多い。惣八は子供の頃、おやすの母親の実家に預けられていたことがあるという。惣八の母親が病で亡くなって間もない頃だ。その頃、惣八の父親は茛の行商で江戸近郊の村々を廻っていた。幼い惣八がいては仕事ができない。それでおやすの祖母に泣きついたらしい。おやすの母親は惣八を実の弟のように可愛がってくれたそうだ。惣八はそのことがずっと忘れられなかった。それで大人になった今でも、おやすの母親と、事あるごとにつき合いを続けていたのだ。

吉原(よしわら)の小見世(こみせ)にいたおかねと相惚(あいぼ)れになり、死ぬの生きるのと思い詰めた時も、おやすの母親に相談している。おやすの母親が頑固に反対する惣八の父親を説得し、晴れて惣八はおかねを身請けしたのだ。

そんなことがあったから、離縁して実家に居場所のなかったおやすを引き取ることにも惣八は迷いがなかった。惣八にすれば、ほんの恩返しのつもりであったのだろう。だが、恩に着せないところが惣八のいいところだ。惣八とおかねの間には子供がいないので、昔からおやすを実の娘のように可愛がってくれた。おやすに子供ができたら、その子に旭屋を継がせるなんてことも惣八は言うようになった。惣八の気持ちがおやすにはありがたかった。

一方、おかねは、悪い女ではないが、一緒にいると、時々、その手前勝手な考え方にいらいらすることがある。おやすの母親の口利きで、晴れて旭屋のお内儀に収まっていることを本当にありがたいと思っているのかどうか。恐らく、すっかり忘れているだろう。

もっとも、吉原の小見世にいた時のことなんて、思い出したくもないだろうが。

それにしても、毎日、おかねと顔を突き合わせていると、気に喰わないことのひとつやふたつは仕方がないものの、自分の意見を無理やり押しつけるところに閉口する。

商売のやり方、台所仕事の手順など、小さなことだが、おかねはおやすの言葉に聞く耳を持たない。それで不手際が生じるとおやすのせいにする。言い返せずにため息をついていると、莨を刻(きざ)む賃粉切(ちんこき)り職人の徳蔵(とくぞう)が慰(なぐさ)めてくれるのだ。お内儀さんの言うことをいちいち気にしていたら身がもちませんぜ、と。

徳蔵が自分の気持ちをわかってくれているので、おやすはそれほど落ち込むことはなかったが。

惣八もおかねの性格を、いやというほど知っているが、もはや諦めて何も言わない。時々、虫の居所が悪いと、この、引き摺(ず)りあま、とおかねを罵(ののし)るぐらいだ。その時でもおかねは黙っていない。惣八にむしゃぶりついて行く。四十半ばの二人が争っている様は滑稽以外の何ものでもない。おやすは一応、仲裁に入るが可笑しくて可笑しくてたまらなかった。子供のいない夫婦は、どこか大人になり切れない部分があるものだ。

まあ、人間なんてものは、三つ子の魂、百までという諺もあるから、持って生まれた気質は死ぬまで変わらないのだろう。自分の身がいっとう大事で、他人のことなど、どうでもいいのは、おかねに限らない。弥三郎店の連中だって、その通りだ。自分に禍がなければ、大変だねえとか、気の毒にとか、おざなりなことしか言わない。ねずみのことだって、ねずみ取りを貸してお茶を濁している。その意味では、六助夫婦は奇特な人間に思える。寄せ場帰りだろうが、何んだろうが、他人のおやすのために親身に行動してくれたのは、あの二人だけだった。二人は弥三郎店に来たばかりなので、お愛想にそうしているとも思えない。自分も他人が困っている時は親身に接してやろうと、おやすは思う。他の店子達が敬遠しても、自分だけは六助夫婦の味方でいたかった。

旭屋での仕事を終え、晩めしを馳走になって弥三郎店に戻ると、六助が土間口前に出した床几に腰掛けて煙管を吹かしていた。おや、この人は莨飲みかと、おやすは思った。もっとも、六助は駕籠舁きなので、町々の立て場（待機場所）で客待ちする時、莨でも喫わなければ、間が持てないだろう。

六助もおやすに気づくと、おやすさん、ねずみが引っ掛かったそうだってな、と口を開いた。

「ええ、お蔭様で」

「始末ができねェようだから、うちの奴が助けてやれと言うんで、待っていたんでさァ」

「ご親切様。いい大人がねずみの始末もつけられないんですもの、呆れているでしょうね」

「んなことありやせんよ。おなごはそのぐらいのほうが可愛らしいですよ」

六助はおやすの胸をくすぐるようなことを言う。ぽっと顔が赤くなった。どれ、それじゃ、と六助は腰を上げた。その時、おたまが油障子を細めに開けて、こちらの様子を窺っているのに気づいた。

「おたまさん、ねずみがようやく引っ掛かってくれたんですよ。これから六助さんに始末して貰うところですよ。ご心配をお掛けして申し訳ありません」

おやすは声を張り上げておたまに言った。

おたまは返事もせずに油障子を閉じた。

六助はねずみ取りを持ち上げると、すぐに外に出た。井戸端には、すでに雑巾掛けに使う洗い桶が出され、水も張られていた。

「お〜い、おひさ。見ろよ」

六助は部屋の中にいるおひさに声を掛けた。

おひさは弾むような足取りで出て来ると、あら、どぶねずみね、小さい、とねずみ取りの中を見て言う。おやすは傍に近づけず、自分の住まいの土間口から、そっと眺めていた。

「南無三」

六助は短く呟くと、洗い桶にねずみ取りを沈めた。ねずみがお陀仏になる間が、おやすにはやけに長く感じられた。やがて、動かなくなったことを確かめると、六助は長屋のごみ溜めに捨ててくれた。

「へい、これで済みやしたぜ」

六助はにっこり笑ってそう言った。その笑顔がおやすには、とびきり輝いて感じられた。

「ありがとうございます。何んとお礼を言っていいのかわかりませんよ」

「ねずみ一匹のことで大袈裟だ。これぐらいなら、いつでも引き受けますぜ」

「恩に着ます」

おやすは深々と頭を下げた。

「念のため、他のねずみ取りはそのままにしておきなせェ。また、掛かるかも知れませんからね」

「わかりました」

空になったねずみ取りを受け取ると、六助は、そいじゃ、ごめんなすって、と言って、おひさの肩を抱きながら部屋の中に入って行った。

「お熱いこと、焼けるねえ」

おやすは二人の仲のよさに当てられて独り言を呟いた。所帯を持ったばかりだから無理もないことだが。

これで気懸りは片づいたのだろうか。おやすは水滴のついているねずみ取りを見つめながら思う。他に仲間がいるとしたら気は抜けない。しかし、今夜だけは安心して眠れそうだった。

それから幸いなことにねずみが出る様子はなかった。たった一匹だけというのも解せない。あのねずみは仲間からはぐれたのだろうか。はぐれねずみが、やさぐれ長屋と呼ばれる弥三郎店に迷い込んだのも皮肉なことだ。

おやすは用済みになったねずみ取りを貸してくれた女房達に返した。その時、菓子屋で買った菓子を添えたので、三人の女房は大喜びで、またねずみが出たら、いつでも言っておくれと笑顔を見せた。

（現金なこと）

おやすは言えない言葉を胸で呟いた。

世話になった六助には酒を一升と、旭屋の莨をつけて渡した。こんなことしないで下さいな、おひさは恐縮していた。

「いいのよ。あたしの気持ちだから」

おやすは鷹揚（おうよう）に言った。するとそれから、おひさはなますだの、煮物だの、煮売り屋のお菜を届けてくれるようになった。何んでも気は心だ。おやすはおひさの気持ちも嬉しかった。

五

鉄五郎はその月の晦日に弥三郎店に戻って来た。もう少し早く帰れるはずだったが、後始末に存外、手間取ったのだという。

「どうだ、おいらの留守中、変わりはなかったけェ？」

呑気に訊く鉄五郎が憎らしい。

「大いに変わりはありましたよ」

「ねずみは捕まえたのけェ？」

「ええ。石見銀山はさっぱり効かなくて、最後は長屋のおかみさん達から借りたねずみ取りで捕まえましたよ。もう、あたしは生きた心地もしなかった」

「すまねェなあ。おやすが大変な時に傍にいなくてよう」

「そんな、お前さん……」

鉄五郎のねぎらいの言葉に、おやすはぐっと来て、思わず涙ぐんだ。

「おっと、泣いちゃいけねェよ。せっかくの美人が台なしだ」

「…………」

もっと、もっと甘い言葉を囁（ささや）いて。六助に負けないぐらいの。脳裏にはおひさの肩を抱いていた六助の姿があった。

「おッ、そうだ。約束通り、土産（みやげ）を買って来たぜ」

鉄五郎は、ふと思い出したように、土間口に置いた道具箱の中から小さな鉢植えを取り出した。それは盆栽になるのだろう。いい形の幹に小さな葉をつけたものだった。

「愛らしいだろ？　唐楓と言うそうだ。これなら狭い裏店暮らしでも邪魔になるめエ」

普通の楓の何十分の一ほどの小さな葉が細い枝に繁っている。商家や武家の庭に植わっている楓の樹の雛形を見るようだった。

「可愛い」

おやすは感歎の声を上げた。

「だろ？」

鉄五郎は得意そうに鼻を蠢かした。

「さて、久しぶりに富士の湯の帰りに井筒屋に行ってめしを喰うか」

鉄五郎は嬉しいことを言ってくれる。

「あたし、滅法界もなく倖せ」

おやすはうっとりした顔になった。ひと月の間の鬱陶しいものが、俄に晴れるようだった。

井筒屋で鉄五郎の猪口に酌をしながら、六助夫婦のことを話してやろうと思った。

(六助さんは寄せ場帰りだけど、お前さんはそんなこと気にしないだろ？　あの人はいい人だ。おかみさんのおひささんも亭主思いの女房だよ。ねずみの始末をつけてくれたのも六助さんなのさ)

鉄五郎に話す言葉を、おやすはあれこれ考えていた。


それから本当にねずみは出なくなった。それでも、ふとした時にもの音が聞こえると、おやすの胸がどきりとした。平気になるまでは、しばらく時間が掛かりそうだった。

長月に入った江戸は秋が深まる一方だった。

ふと、この季節をいやがっていない自分におやすは気づいた。染井の仕事が終わった鉄五郎には料理茶屋の増築の仕事が回って来た。これでまたひと月、安心して暮らせるというものだった。

そんなある日、旭屋におやすの三番目の兄が訪ねて来た。富三郎は二人の兄と喧嘩をしたという。おかねが露骨にいやな顔をしたので、おやすは身が縮む思いだった。

「富ちゃん、喧嘩したと言ったところで、戎屋は手代、番頭もいないから、きょうだいで店を続けるしかないじゃないの。それとも富ちゃんはよそに奉公する気があるの？　だったら、ここへ来るより口入れ屋（周旋屋）にでも行ったほうがいいと思うけど」

おやすはさり気なく富三郎を諭した。戎屋はおやすの家の屋号だった。見世がうまく行っていた頃は、きょうだい三人でつるみ、遊び回っていた。長男は長太郎、次男は福次郎、三男が富三郎と、皆、おめでたい名前がついている。その名の通り、やることもおめでたい連中だった。三人とも悪目立ちした恰好で得意になっていたものだ。遊びの時は気が合っていたくせに、商売となれば、そうも行かないのだろう。富三郎の表情にも精彩がなかった。母親似の童顔も、二十五を過ぎれば見苦しいだけだった。

「お前はいいさ。越中屋を飛び出した後はここに身を寄せ、勝手に所帯を持ちやがってよ。亭主は大工だって？　もっと、銭のある男を摑めなかったのかよ」

富三郎の言葉に、おやすよりもおかねが頭に来たらしい。

「お前、何を言っているのだえ。おやすちゃんは、お前のてて親の借金のために、泣く泣く越中屋に嫁入りしたんだ。そのお蔭でひと息ついたはずじゃないか。てて親の借金てのも、元々はお前達きょうだいが遊びで拵えたものだろうが」

「小母さん、済んだことは言わねェでくんな。それにおやすは辛抱できずに越中屋をおん出たじゃねェか。越中屋はそれ以後、うちとのつき合いを断っているぜ。どうしてくれる」

富三郎は斜に構えた言い方をする。

「そんなこと知るか！」

おかねは金切り声を上げた。

「小母さん」

興奮したおかねをおやすはそっと制した。

「それで富ちゃんは、この先、どうするつもりなの？」

おやすは静かな声で訊いた。自分まで興奮したら、話がこんがらがる。

「そうさなあ。しばらくこの家に厄介になって、憂さを晴らしてェもんだが、いけねェかい？」

「いけないに決まっている。誰がお前のようなものをここへ置くか！」

富三郎も富三郎だが、おかねも、もっと柔らかい言い方ができないものだろうかと、おやすはため息が出た。

「富ちゃん、戎屋は昔と違う。それとも店を潰してもいいと思っているの？　お父っつぁんとおっ母さんは、もう年なのよ。身を固めて、安心させてやってよ」

おやすは縋るように言った。見栄っ張りの家族でも、おやすにとっては身内である。何んとか暮らして行ってほしいと思う。兄達が三人とも独り身なのも問題だった。

「だいたい、喧嘩した理由は何んなのよ」

おやすが訊くと、富三郎は真顔になり、兄貴の奴、両国広小路の床見世（住まいのつかない店）をやれって、おれに言った、と悔しそうに唇を噛んだ。

「それのどこがいけないの？　戎屋の出店（支店）と思えばいいじゃないの」

「床見世だぜ。かっこ悪いじゃねェか」

そう言った富三郎に、おやすとおかねは顔を見合わせた。

「なに、おれがおみのと所帯を持つ話をしたもんで、奴ら、悋気して嫌がらせに出たのよ」

富三郎はくさくさした表情で続ける。

「おみのって誰？」

おやすは、つつっと膝を進めた。

「水茶屋の茶酌女をしている。うちの店が左前になっても、茶を飲みに行けば、変わらず愛想よくしてくれる。他の女はそっぽを向いて相手にしてくれねェのによう」

「いい人そうね。富ちゃん、一緒になってほしいと言ったの？」

「向こうから、かみさんにしてくれと言いやがった。床見世の話もすると、喜んでいたが、おれァ、もうひとつ気が乗らねェのよ」

「富ちゃん、いい機会よ。兄さん達をあてにせず、おみのさんと二人で商売を始めてよ。きっと、うまく行くと思う」

「そうかなあ」

それでも富三郎は煮え切らない態度をしていた。

「あたし、おみのさんに会いに行って、話をして来ようかな」

おやすは、ふと思いついて言った。そうしておやり、おかねも横から口を挟んだ。珍しく、おやすと同じ気持ちでいたようだ。だが、後がいけなかった。富ちゃんが真人間になる絶好の機会だ、と言い添えたのだ。

「真人間って、それじゃ、おれは今まで何んだったのよ」

富三郎は不満そうに口を尖(とが)らせた。

「まあ、話だよ」

おかねは、しゃらりといなす。結局、富三郎は旭屋に居候(いそうろう)を決め込むためでなく、所帯を持つことを相談に来たとわかって、おやすはほっとした。近々、おやすはおみのに会いに行こうと思っていた。富三郎が所帯を持てば、後の二人も右倣えになりそうな気もした。

とり敢えず、めでたい。おやすは胸で独りごちた。

ねずみ取りに掛かった費用は、石見銀山八文、薄荷入りの歯磨き粉はひと袋八文だから、三袋で二十四文、ねずみ取りを貸してくれた女房達へのお礼の菓子が一人二十文で合計六十文、格別の働きをしてくれた六助には酒一升二百文と八文の刻み莨をつけた。しめて三百文。大層な掛かりとなったが、おやすはくよくよしなかった。ねずみの後には富三郎の嬉しい知らせがあったからだ。それも掛かりに入るとしたら安いものだ、三百文は。

葺屋町の旦那

一

霜月に入った江戸は途端に暮めいて来る。

初雪はまだ降らないが、筑波おろしの冷たい風が江戸市中に吹きつけている。着物の裾から這い上がる冷気に誰しも身を震わせずにはいられなかった。

そんな折、日本橋本石町の弥三郎店と呼ばれる裏店に十六歳の若者がやって来て、独り暮らしをしているおすがという年寄りの家に寝泊まりするようになった。

若者は、昔、おすがが女中奉公していた家の息子だという。その家は葺屋町にある「福之屋」という屋号の芝居茶屋だった。

芝居見物をする客は、まず芝居茶屋に揚がり、茶屋の若い者の手引きで芝居小屋の席に着くのがもっぱらだった。席の手配も芝居茶屋がする。芝居茶屋は贔屓の客のために桟敷席をある程度買い占めていた。

客が席に着くと、すぐさま莨、茶、芝居番付が出される。それから菓子、口取り、刺身、煮物など酒の肴（さかな）が供される。中食（ちゅうじき）は幕の内弁当。最後は水菓子が出る。それらはすべて芝居茶屋から運ばれるのだ。幕間（まくあい）になると、女の客は芝居茶屋に戻り、衣裳を着替える。衣裳比べも芝居見物には欠かせない。当日は夜明け前から髪を結い、化粧を施（ほどこ）し、舟や駕籠（かご）を頼んで芝居茶屋へ向かうのだ。芝居見物と言っても、客にとっては手間も暇も掛かる一大行事だった。それでも、年に幾度も見物する客は珍しくない。世の中には、上には上があるものである。

もっとも芝居茶屋が相手にするのは上客に限ってのことで、一般庶民は平土間（ひらどま）や追（おい）込（こみ）と呼ばれる値の安い席で見物して、芝居茶屋は使わなかった。

ひと口に芝居と言っても、官許の芝居小屋は江戸三座と呼ばれる中村（なかむら）座、市村（いちむら）座、森田（もりた）座である。この三座が経営不能などの事情で興行ができない時は控櫓（ひかえやぐら）と呼ばれる小屋が代行した。中村座には都（みやこ）座が、市村座には桐（きり）座が、そして森田座には河原崎（かわらさき）座という控櫓があった。本櫓（ほんやぐら）に控えるという意味で、控櫓なのだ。そんなことを、おすがは弥三郎店の女房達に話してくれた。

福之屋は葺屋町にあるから、市村座の息の掛かった茶屋であるが、現在は閉座して、桐座が興行している。葺屋町には芝居茶屋が十軒ほどあり、福之屋はその中でも大茶屋と呼ばれる見世だった。

俗にやさぐれ長屋と言われる弥三郎店の店子達にとって、芝居見物などは夢のまた夢である。おすがだって、用事で芝居小屋に出かけた時に、出入り口の傍からちらりと眺めたぐらいで、ひと幕、丸々見物したことはないという。

おすがが奉公していたのは四十年も前の話だから、福之屋の先代が主だった頃だろう。

今の主だって、ほんの子供だったはずだ。その息子となれば、おすがと今まで面識があったとは思えない。昔のよしみで若者を預かることにしたのだろうが、大茶屋の息子なら、何も弥三郎店のような裏店に寝泊まりすることもあるまいと、店子達は誰しも思っていた。そこには深い訳がありそうな気もした。

もっとも、おすがの息子の清三郎が上方から戻って来ても、弥三郎店には居着かず、相変わらず大伝馬町の呉服屋「尾張屋」で住み込みを続けている。番頭に昇格したのだから、通いが許されるはずなのに、そうしようとしなかった。仕事が忙し過ぎて、本石町から通うのが面倒なのか、それとも独り暮らしがすっかり身について、今さら母親と同居するのが煩わしいのか、それも店子達にはわからない。おすがは寂しさを紛らわす意味でも幸助という名の若者の世話をまめにしているのかも知れない。

　幸助は昼過ぎになると弥三郎店を出て行く。

　日本橋の本材木町三丁目にある新場という魚市で働いているという。魚河岸が大名・旗本相手の高級魚を扱うのに対し、新場は値の安い大衆魚を扱う。特に新場の夕市は有名で、伊豆や相模、房総から押送船、俗にオショクリと呼ばれる高速船で鰯や鯵が運ばれて来る。

　棒手振りの魚屋はそれを待ち構えて仕入れ、人々の晩めしに間に合うように売り歩くのである。幸助はその新場で魚の運搬などをしているらしい。仕事を終えると店が出してくれる晩めしを食べ、だいたい、町木戸が閉まる前ぐらいに戻って来る。福之屋の息子が何も新場で働くこともあるまいと、これまた弥三郎店の店子達は思っていた。

　幸助はあまり明るい性格ではないが、売れ残りの魚があれば魚桶に入れて持ち帰り、近所に配った。それには皆、大助かりだった。

　自然、幸助の株も上がるというものだった。

「おすがさん、幸ちゃんはいつまでここにいるんだえ」

　朝めしを終え、亭主が出かけると、女房達は井戸端に集まり、食器を洗ったり、洗濯をしたりしながらお喋りに興じる。その時に錺職人の茂吉の女房のおときが訊いた。

「さあてね」

おすがは曖昧に応える。

「幸ちゃんは芝居茶屋の息子さんなんですってね。いい所の子なのに、新場で働くなんて」

青物売りの梅蔵の女房のおたまも言う。

「いいじゃないか、新場で働いたって。何もせずにぶらぶらしている子より、ずんとましじゃないか。あたしは幸ちゃんに感心しているんだよ。働いて、ちゃんと喰い扶持を入れてくれるんだから」

おすがは庇うように言う。

「家にいられない訳でもあるんですか」

おときは興味津々という態で眼を光らせる。

おすがは、何気なく自分の住まいを振り返った。話が幸助に聞こえていないかと心配しているふうだった。

「まあ、ちょっとね」

おすがは表情を曇らせる。何、何？　おときは話の続きを急かす。

「おときさん、およしなさいな」

大工の鉄五郎の女房であるおやすが、さりげなく制した。

「そうだよ。おすがさんが言い難いことを無理やり訊くことはないよ」

駕籠舁きの六助の女房のおひさもそう言った。おひさは弥三郎店に越して来て間もないが、この頃は、すっかりここの暮らしになじんでいた。

「無理やり訊いているつもりはないよ。ただ、ちょっと気になるだけじゃないか」

「金棒引きだね、全く」

おひさの言葉におときは眼を吊り上げた。金棒引きは世間の噂好きという意味である。

「言ってくれるじゃないか。金棒引きだって？　そういうあんたは何様だ」

三十六歳のおときは二十歳のおひさに言われて、心底、腹を立てている。

「朝から喧嘩はやめておくれ。幸ちゃんのことは、今はそっとしておくれでないか。あの子なりにこれからのことを考えているんだから」

おすがはため息交じりに言った。

「若い時は色々、悩みがあるものですよ。幸ちゃんは働き者のいい子だ。今はそれだけでいいじゃないですか」

おやすは女房達を諭すように言うと、さっさと洗濯を終え、もの干し棹に拡げ始めた。

おやすは「旭屋」という莨屋で日中、手伝いをしている。女房達のお喋りにつき合ってはいられなかった。本当のところ、おやすも幸助のことは気になっていた。だが、おすがが、そっとしておいてと言うのだから、そうするのが幸助のためでもある。幸助の暗い表情の陰には本人でなければわからない理由があるのだろう。早く普通の若者らしい笑顔を見せてほしいものだと、おやすは思っている。幸助の濃い眉の下には憂いを含んだような眼があり、鼻も高い。唇は桜色をしている。

芝居役者でも十分通用するほどの男前だった。だからなおさら、金の苦労のない家を出て魚市で働く幸助が不憫に思えてならなかった。

二

幸助の事情におやすが察しをつけたのは、それからしばらくした夕方、五十がらみの男が弥三郎店を訪れたことからだった。女房達は晩めしの仕度に余念がなかった。

おやすも土間口前に七厘を出し、幸助から貰った鯵を焼いていた。昨夜、捌いて塩をし、軒下に干しておいたのだ。その時、見慣れない男が現れて、辺りをきょろきょろ見回した。しかし、目当ての家がわからないらしく、おやすに声を掛けた。

「あいすみません。おすがさんのお住まいはどちらでしょうか」

丁寧なもの言いをする男だった。もの言いだけでなく、粋な縞の袷に紋付の長羽織を重ね、八幡黒の頭巾を首巻き代わりにしている。

足許は紺足袋に桐の下駄だった。頭も髪結床に行ったばかりのように撫でつけられている。さして男前ではないが色白の顔にえも言われぬ品があった。

「旦那さん、きれい……」

応える前に、おやすは思わず感歎の声を上げた。男は少し驚いた表情をしたが、すぐに笑顔で「本当？　それほどきれい？　嬉しいわあ」と、女のようにしなを作った。おやすは眼をしばたたいた。黙っていればいいのに、口を開くと女形のようで興醒めだった。

「おすがさんはお向かいの家です」

おやすは手短に応えると、すぐに渋団扇で七厘を煽いだ。その後で、おすがさん、いる？　と訪ないを入れる声も甘えているようで気色が悪かった。

おすがは驚きもせずに、あら、旦那、ようこそお越し下さいました、と普通に応えていた。男はそれから中に入った。おやすは鯵を焼きながら、それとなくおすがの住まいに眼を向けていたが、亭主の鉄五郎が帰って来たので、男のことに構っていられなくなった。

晩めしが済み、鉄五郎が早々に蒲団に入ると、おやすは食器を洗いに井戸端へ向かった。

おすがは翌朝のために米を研いでいた。幸助は新場から、まだ戻っていない様子である。

「お水が冷たくなって、いやになりますね」

おやすが声を掛けると、おすがは、ああ、と気のない返事をした。

「どうしたんですか。元気がないじゃないですか」

「わかるかい?」

「そりゃ、わかりますよ。いつものおすがさんとは違いますもの」

「さっきさあ、幸ちゃんのてて親がやって来たんだよ」

「あら、じゃあ、あの人が福之屋の旦那さんですか」

「見たのかい?」

「おすがさんの住まいを訊かれたもので」

「そうかい……」

「よい身なりでしたから、どちらの方だろうと思っていたんですよ」

「女のような仕種で気色悪かっただろう？」

「いえ、そんなことは」

　はっきりそうだとも言えず、おやすは曖昧に応えた。

「幸ちゃんの母親は旦那の後添えなのさ。早い話、旦那は長いこと幸ちゃんの母親の面倒を見ていたんだよ。二人の間に幸ちゃんが生まれたのさ。五年ほど前に旦那のお内儀さんが病を得て亡くなり、旦那は晴れて幸ちゃんと母親を福之屋に入れたんだ。旦那は亡くなったお内儀さんとの間に娘が三人いるけど、男の子はいない。旦那にすれば当然、幸ちゃんを見世の跡継ぎにしたいと考えるはずだ。だが、嫁に行った娘達が反対して、実家に顔を出す度に幸ちゃんの母親に嫌味を言ったり、揚げ足を取ったりして意地悪をしているらしい。幸ちゃんの母親は、おりきさんと言って、深川で芸者をしていた人だよ。伝法な口を利いて、深川じゃ大した評判だったらしい。旦那はきっと、自分と正反対の性格のおりきさんに惚れたんだろうねえ」

　おすがは胸に溜まっていたものを吐き出すように、いっきに喋った。

「わかりますよ、それは」

「おりきさんが福之屋に入ってから、客の評判もよくて、それにはあたしも安心していたんだよ。もちろん、娘達の意地悪に怯む人じゃない。だが、娘達は幸ちゃんが福之屋の跡継ぎになるのが我慢できず、あの手、この手で横槍を入れ、挙句に、幸ちゃんが旦那の種じゃないなんて言い出してさ、それには、さすがのおりきさんもこたえている様子なんだよ。そんな母親を見ていた幸ちゃんが、自分さえいなけりゃいいんだろうとばかり、家を飛び出しちまったんだよ」

「可哀想に」

おやすは自然に眼が潤んだ。

「そしたら、娘達が今度ァ、誰を福之屋の跡継ぎにするかと揉めてさ、大騒ぎになっているそうだ。旦那は最初っから、娘達は嫁に出したんだから、孫を跡継ぎにするつもりなんてないのさ。だが、あの調子だろ？　娘達をぴしりと追い払うことができないんだよ」

「それだけ福之屋さんの実入りがよいということなんでしょうねえ」

「そうそう。嫁に行っても実家にいた頃のように贅沢ができないもんだから、今までだって、何んだかんだと三人とも無心しているんだよ。それだけじゃ足りずに、自分の子供を福之屋の養子にして、大威張りで銭を引っ張る魂胆なんだ。全くあさましいよ」

「本当ですね」

「それで旦那に、何んとか幸ちゃんを説得して見世に戻してほしいと頼まれたんだけど、あたしに何ができるって……」

おすがは皮肉な口調で言った。

「幸ちゃんにその気がないのなら、無理なお話に思えますね」

「そうなんだよ。おまけに幸ちゃんは、旦那が大嫌いでさ、女の腐ったのだの、ボケだの、カスだのと悪態をついて手に負えないんだよ。旦那の種じゃないと言われた時だって怒るより、むしろ喜んでいたそうだよ」

「おすがさん、ひとつお訊ねしてよろしいですか」

「何んだね」

おすがは怪訝そうにおやすを見た。

「どうして、旦那はあんなふうなもの言いと仕種をするんでしょうか」

そう言うと、おすがは顎を上げて笑った。

それから、これだと思ったかえ、と右の手の甲を左の頬にあてがって見せた。男色の趣味があるのかという意味である。

「いえいえ。そこまで言うつもりはありませんけど」

「旦那は若い頃、桐座で後見の修業をしていたことがあるんだよ」

「後見？」

「ほら、舞台で役者の衣裳を替えたり、世話を焼いたりする人のことだよ」

「ああ」

おやすは合点が行って肯いた。

「どういう訳か、芝居の世界じゃ、後見は女言葉を遣い、仕種も女っぽい人が多いのさ。そのほうが役者の受けがいいのだろう。役者は後見を女房役とも思っているのだろうね。旦那もそれに倣い、福之屋の主に直ってからもその頃の癖が抜けないのさ。子供を四人も拵えているんだから、女が嫌いってことはないだろうよ」

「本当ですね。ごめんなさい、つまらないことを訊いて」

「いいんだよ。だけど、おやすちゃん。これからどうしたらいいだろうね」

「さあ」

その時のおやすも、よい案は浮かばなかった。しかし、幸助がいつまでも新場の仕事を続けていいとも思えない。問題は父親を嫌っている幸助の気持ちにあると思う。

父親を心から慕えば、おのずと福之屋に戻るはずである。

「幸ちゃんのお世話をすることは、あの旦那に頼まれたんですか」

おやすは、ふと気になって訊いた。

「いいや。うちの倅だよ」

「清三郎さん？」

「ああ。旦那は尾張屋で着物を誂えているんだよ。それで、あたしが昔、福之屋さんに女中奉公していた話も、それとなくしていたらしい。幸ちゃんが家にいたくないと騒ぎ出した時、旦那はうちの倅に相談を持ち掛けたんだよ。福之屋を飛び出したところで行くあてもないから、何んとか説得してほしいってね。幸ちゃんはうちの倅を兄さんみたいに思っていたんで、倅の言うことなら素直に聞くと思ったんだろうよ」

しかし、清三郎は幸助が一旦、福之屋を飛び出す覚悟をしたなら、誰もそれを止めることはできないと思っていた。清三郎は福之屋に行って幸助を呼び出し、一応は説得したが、幸助は首を縦に振らなかった。仕方なく、もしもの時は、うちのお袋の所へ行けと勧めたらしい。幸助がその点だけ言う通りにしてくれたのが不幸中の幸いだった。十六歳の若者がふらふら町をさまよっていては、何が起きるか知れたものではない。もしも事件にでも巻き込まれたなら福之屋は商売を続けられない恐れもあった。

新場の「魚新」という魚屋に幸助が働けるように口を利いたのも清三郎だという。

「清三郎さん、頼りになる人ですねえ。感心してしまいますよ」

おやすはお世辞でもなく言った。

「まあ、倅が幸ちゃんに、あたしの所へ行けと言ったのは嬉しかったよ。あたしのことを忘れていなかったんだと思ってね」

「忘れる訳がないじゃないですか」

「そうかねえ。だけど、ここで一緒に住もうとしないのは、どうした訳だろうね」

おすがは寂しそうに言う。

「尾張屋の番頭さんに裏店暮らしはできませんよ。世間体というものもありますからね。その内にぱりっとした家を見つけて、おすがさんを迎えに来ますよ」

おやすはおすがを安心させるように言った。

「ありがとう、おやすちゃん。だが、この話はここだけのことにしておくれでないか」

おすがは、ひと通り幸助の事情を語った後で釘を刺した。

「それはいいですけど、他のおかみさん達に下手な勘繰りをされるのもどうかと思いますよ。幸ちゃんは現にここで暮らしているんですから、差し障(さわ)りのない程度に話したほうがよろしいのじゃないかしら」

「だけど、他の女房どもが、おもしろおかしく幸ちゃんの噂話をするかと思えば肝(きも)が焼けるんだよ」

「弥三郎店の皆さんは親戚のようなものですよ。おもしろおかしく噂話なんてするものですか。ただ、事情を知っておきたいと思ってるだけですって」

「そうかねえ」

短い間だが、おすがはすでに幸助に対して身内のような情愛を感じているようだ。それはおやすも同じである。幸助を弟のように思っている。幸助は新場で働き、余計なことを忘れようとしているのだ。今はそっとしておくほかはないと、おやすは思っていた。

三

雨で仕事が休みになると、おやすの亭主の鉄五郎は、まめに家の中を片づける。土間口の油障子(あぶらしょうじ)の建てつけが悪ければ、すぐさま鉋(かんな)を使って手直しする。猫の額(ひたい)のような庭にも鉄五郎が手作りした植木棚が置かれている。

おやすは植木の好きな女だが、育て方が上手ではない。いつも枯らしてしまう。鉄五郎が染井に仕事で行った時に持ち帰った唐楓も、とうに枯れていた。手間も暇もいらないやぶ柑子ばかりがはびこっている。やぶ柑子は夏に白い花が咲き、冬に赤い実をつける。裏店住まいにふさわしいと言えば、そうとも言えるが。

旭屋の仕事を終えて帰った時、鉄五郎は枕屏風の手直しをしていた。押入れがないので蒲団は畳んで部屋の隅に重ねている。人の眼に触れないように枕屏風で囲っているのだ。

鉄五郎は紙屋で千代紙を買って来て、枕屏風にできたシミの上に貼っていた。

「どうでェ、きれえだろ?」

鉄五郎は得意そうにおやすに言った。

「ええ、とってもきれい」

おやすはおざなりに応える。

「何んでェ、気のねェ返事だなあ」

「そうかしら」

「晩めしは何よ」

「そうね、鰺を焼いて、お前さんの妹が持って来てくれた青物を茹でて、後はお漬け物かな。ああ、そうそう、朝の残りのしじみ汁もあるよ」

「たまにゃ、豪勢に鰻でも喰いてエもんだ」

「じゃあ、鰻屋さんに連れてってよ」

「お前ェの奢りけェ？」

「ご冗談を。お前さんの小遣いで何して下さいな」

そう言うと鉄五郎は黙る。財布の紐は弛めない男である。おやすはくすりと笑って晩めしの仕度を始めた。

夫婦二人でささやかな晩めしを摂りながら、おやすは、ふと鉄五郎が幸助のことをどう思っているのか気になった。鉄五郎はおすがの家に居候が転がり込んだぐらいに思っているようだが。

「おすがさんの所の幸ちゃんのことだけど」

「ん？」

「いつまでここにいるつもりかしらね。てて親も心配して様子を見に来ていたのだけど、幸ちゃんは、さっぱり家に戻る気持ちがないのよ」

「その内に戻るさ」

鉄五郎は埒もないというように応える。

「いつ？」

「そいつはわからねェ。あいつの気持ちにけりがつくまでだろう。半年か、一年か、三年か……」

「芝居茶屋の若旦那でいるより新場で働くのがいいとも思えないのよ」

「まあな。おいら達のような貧乏人は、黙って家の手伝いしてりゃ、小遣いに不自由しねェだろうと考えるが、本人にはそうしたくねェ訳があるんだろう」

「ええ、そうなの」

おやすはおすがから聞いた幸助の事情をぽつぽつと話した。

「存外、骨のある奴じゃねェか」

鉄五郎は感心した顔になった。

「だから、周りの者は心配するのよ。幸ちゃんが福之屋の旦那になれば、これからだって見世は安泰なはずよ」

「問題は先妻の娘達だな。何んとか黙らせねェと、幸助は家には帰ェらねェだろう」

「どうしたらいい？」

「んなこと、おいらにわかる訳がねェよ。誰か間に立つ人間が必要だ。娘達を引き下がらせる器量のある奴はいねェのけェ？」

「そんな人、いないと思うの。あたしは、福之屋の旦那が、がつんと娘達に言えないことにいらいらするのよ。それと、幸ちゃんが旦那のことを嫌っているのも心配なの」

「福之屋の旦那は、なかなかの人物だと葺屋町界隈じゃ評判になっているぜ。芝居のことは何から何まで知っているし、客に対する気配りも半端じゃねェ。幸助は、てて親の仕事をわかっていないいんじゃねェか。母親が正式の女房になるまでは、妾の子だと苛められたこともあったはずだ。恨みばかりが募っていたから、いざ、福之屋に引き取られても素直になれねェのよ」

「お前さんの言う通りかも知れないね」

「やっぱ、あれだ。親父と倅が腹を割って話し合うことが肝腎よ。生さぬ仲じゃねェ本当の親子だったら、わかり合えるところもあると思うがな」

「あたし……ひと肌、脱ごうかな」

「え？」

「幸ちゃんと旦那の仲をとり持つことよ」

鉄五郎が黙ったのは、そこまでする義理はないだろうと思ったのか、おやすにそれができるのかと訝っていたからだろうか。恐らく両方だろう。

「まあ、おやすがいいと思うことなら、やってみる価値はあると思うが」

やがて鉄五郎は渋々応えた。おやすは張り切って、やってみる、と言った。

鉄五郎が床に就くと、おやすは後片づけをしたり、縫い物をしながら幸助の帰りを待った。幸助の気持ちを確かめたいと思ったからだ。おやすは今まで、魚を届けに来る幸助に礼を言うぐらいで、じっくり話をしたことがなかった。人んちのことは放っといてくんな、と斜に構えたもの言いをされたら返す言葉もないが、当たって砕けろみたいな気持ちだった。

幸助はいつものように町木戸が閉じる前ぐらいに弥三郎店に戻って来た。足音が聞こえると、おやすは慌てて外に出た。

「幸ちゃん、お帰りなさい」

暗闇の中で、幸助の表情はよくわからなかったが、まだ起きていたんですか、と少し驚いた声が聞こえた。携えた提灯の灯りがぼんやり足許を照らしている。

「ちょうどよかった。鰯、いりますか？」

幸助はおやすの気を惹くように続けた。

「いただけるの？　嬉しい。待って。今、桶を持って来る」

おやすは住まいに戻り、台所から桶を取り上げて幸助の傍に戻った。幸助は提灯を持ちながらしゃがんで待っていた。

魚桶の中に活きのいい鰯が入っていた。それをおやすの桶に十五、六匹も入れる。

「二人暮らしだから、たくさんはいらないよ。他のおかみさん達にも分けてあげて」

「そうですかい」

もっと入れようとして幸助は手を止めた。

「あのね、ちょっと話があるんだけど、いい？」

「何んでしょう。夜中に亭主持ちのおかみさんと話をするなんざ、外聞が悪りィですよ」

「悪い冗談ね。そんなんじゃないのよ。お節介だと思われそうだけど、幸ちゃんはこのまま福之屋さんに戻らないつもり？」

「…………」

「皆んな、心配しているのよ」

「皆んなって誰ですか」

「おすがさんもあたしも、うちの人も。ううん、幸ちゃんのお父っつぁんはここまで様子を見に来たのよ」

「親父が？」

「ええ。おすがさん、何も言っていなかった？」

「いえ、聞いてねェです」

「幸ちゃんのお父っつぁんは、何があろうと、あんたを福之屋の跡継ぎにしたいと考えていらっしゃるのよ。その気持ちを汲んであげて」

「おれはもう、何も彼もが面倒臭ェんですよ。福之屋がどうなろうと、正直、どうでもいいんです」

幸助は投げやりに応える。

「お姉さん達の子供が跡を継いでも？」

「それならそれでいいです」

「でも、おっ母さんはどうなるのかしら。旦那を支えて、今まで見世を切り盛りして来たじゃないですか。お姉さん達の子供が跡を継いだら、福之屋さんにはいられないと思うけど」

「…………」

「それとも、新場で稼いでおっ母さんを食べさせるの？」

「新場の給金がどれほどのもんだと思っているんですか。それはとてもできませんよ」

「じゃあ、おっ母さんを見捨てるの？」

「おやすさん、おれは今、手前ェのことだけで精一杯なんですよ。他のことはとても考えられやせん」

「でも、いずれ考えなきゃいけない時が来るのよ。幸ちゃんは、年が明ければ十七よ。もう子供じゃないのよ」

「おれは親父と一緒になったお袋も恨んでおりやす。おなごの腐ったような男と一緒にならなくても、他に男はいたはずですよ。しかもおれが十になるまで日陰の身だったんだ。何が哀しくて、あんな男と……」

「お父っつぁんのことは悪く言わないで。それにあんたのおっ母さんがお父っつぁんのことを好きになったのは、あんたに四の五の言われる筋のものじゃない。世の中には様々な夫婦がいるのよ。あんたのおっ母さんが、この人だ、と覚悟を決めたことに、どうしてあんたが文句を言うのかしら。そこがあたしにはわからない。もの言いと仕種が男らしければ、あんたは福之屋の旦那をてて親と認めるの？　おかしな理屈だと思うよ。旦那は福之屋の主として一目も二目も置かれている人だ。立派な人ですよ」

「おやすさん。夜も更けた。そのぐらいで勘弁して下さい」

幸助は低い声で制した。

「つまらない話をしてしまったようね。はばかり様」

おやすも引き下がるしかなかった。

「鰯、ありがとう。明日、煮つけてうちの人に食べさせるつもり」

おやすはわざと明るい声で続けると踵を返した。幸助は、しばらくおやすの後ろ姿を見つめていたような気がした。

油障子を閉め、しんばり棒を支うと、鉄五郎が、説得はうまく行ったのけェ？　と訊いた。物音で眼が覚めたらしい。

「駄目。結構、頑固で手に負えなかった」

「だが、おやすは、言いたいことは言ったんだろ？」

「ええ、少しね」

「なら、奴も少しは考えるさ」

「そうかしら」

「後は福之屋の旦那にびしっと言ってやれ」

「………」

「さあ、早く寝ろ。寝坊でもしたら、旭屋のお内儀さんに嫌味を言われるぜ」

「本当にそうね。どいつもこいつも手前勝手な人ばかりでいやになる」

おやすは大袈裟なため息をつくと、のろのろと着物を脱ぎ、寝間着に着替えた。風が少し強くなったようだ。火の用心を触れ回る木戸番の拍子木の音が切れ切れに聞こえた。

四

おやすは得意先に莨を届けるついでに親父橋の近くにある葺屋町へ足を伸ばした。芝居小屋を中心に芝居茶屋が軒を連ねている。葺屋町の楽屋新道と呼ばれる通りに面した、ひと際大きく風情のある二階建ての見世が福之屋だった。黒板塀で囲った中から松の枝がよいあしらいで伸びている。見世先には紺の暖簾が掛けてあり、軒下には小振りの桃色の提灯が幾つも並んでいた。いかにも芝居茶屋らしい華やかさがあった。

顔見世狂言を間近に控え、見世には奉公人やら出入りの商家の者やらが出たり入ったりして忙しそうだった。おやすは福之屋の前まで来て、俄に気後れを覚えた。勢いでここまで来たが、果たして福之屋の旦那が自分に会ってくれるだろうかと不安になっていた。

手土産代わりに旭屋の蒖を持参したが、それも受け取って貰えるかどうか心許なかった。

勝手口に回り、おそるおそる訪ないを告げると古参の女中らしいのが、どのようなご用件でしょうかと、愛想笑いを貼りつかせながらおやすを頭のてっぺんから爪先まで値踏みするような眼で見た。

「あたしは、こちらの坊ちゃんが今、お住まいになっている弥三郎店の者ですが……」

「坊ちゃんが何かしましたか」

女中は顔色を変えた。

「いえ、そういうことではなく、旦那さんにお話ししたいことがありますもので」

「少しお待ち下さいまし」

三十がらみの女中はそう言って、奥へ引っ込んだ。ほどなく現れたのは旦那ではなく、お内儀だった。品のよい薄紫色の着物の裾を長く引き摺っている。薄化粧をした顔は、シミも皺もない。深川芸者をしていたと聞いたせいもあるが、大層、粋な感じの女だった。お内儀は台所の板の間に裾を捌いて座ると、福之屋のお内儀でございます、と丁寧に頭を下げた。

「あたしは、やすと申します。本石町の弥三郎店に住んでおります。こちらの坊ちゃんは、ただ今、おすがさんという人の住まいに身を寄せていらっしゃいます。先日、旦那さんがお越しになりまして、おすがさんに、坊ちゃんが福之屋さんに戻るよう説得してほしいと頼まれたのですが、おすがさんは坊ちゃんの身の周りのお世話はできるが、説得まではできないと、大層、悩んでいるのですよ。それで、差し出がましいことですが、あたしが代わりに伺いまして、そのことをお伝えしようと思いました。旦那さんはご在宅でしょうか」

「あいにく、主人は用事で外へ出ております。息子のことで皆さんにご迷惑をお掛けして、お詫びの言葉もござんせん」

お内儀のおりきは恐縮したように身を縮めた。

「よい坊ちゃんですよ。新場の魚屋で働いておりまして、あたしの所にも残った魚を届けて下さるのですよ」

「新場ではお役に立っているのでしょうか」

おりきは不安そうにおやすを見た。幸助とよく似た眼をしている。

「それはもちろん。ただ、あたしもおすがさんも、福之屋さんの坊ちゃんがいつまでも新場で働くのは、どんなものかと心配はしているのですよ。でも、本人がこちらのお内証のごたごたに嫌気が差しているようで、福之屋さんがどうなろうと構わない、先妻の娘さんの子供が跡を継ぐなら、それでもいい、なんておっしゃいまして……」

おやすがそう言うと、おりきは聞き耳を立てている様子の女中達を気にして、おやすさん、ちょっと外へ出ましょうか、と言った。

「え、ええ……」

旭屋に早く戻らなければと気が急いていたが、おやすは断ることができなかった。

おりきは履き物を持って来ると、着物の褄を取り、手慣れた様子で近所の汁粉屋へ入った。「かすり」という名の汁粉屋は間口二間の狭い見世だったが、芝居町にあるだけに、大層、粋な風情があった。掃除が行き届き、古びた板壁は磨き込まれて飴色に光っている。壁には有名役者の色紙と役者絵が飾られ、女の客を意識してか、窓際にはこけしなどの人形を飾り、盆栽の小さな松も、いいあしらいで置かれていた。

おりきは小上がりにおやすを促し、お汁粉はお好き？　と訊いた。

「ええ」

「ご亭さん、お汁粉二つ」

おりきは奥に声を掛けた。「へ〜い」と間延びした返答があった。客は他に誰もいなかった。

「ごめんなさいね。女中が聞いているかと思えば気が気じゃなくて」

おりきはおやすを外へ連れ出した言い訳をした。

「あたしこそ、申し訳ありません。勝手なことをぺらぺら喋って」

「幸助の気持ちは、よくわかっているんですよ。見世に戻りたくないと言うなら仕方がないことですよ」

「でも、また余計なことを申しますが、もしも旦那さんの娘さんの子供が福之屋を継いだら、お内儀さんの立場はどうなるのでしょうか」

「もちろん、見世にはいられないでしょうね。わたしは見世を出て、小さな家でも借りますよ」

「…………」

「心配しないで。何んとかなりますから」

おりきは笑顔で言う。無理をしているとおやすは思った。

「坊ちゃんは、どうして旦那さんを嫌うのでしょうね。あたしはそれが一番の原因に思えてならないのですよ」

「あんな男ですもの、好きになれと言うほうが無理なことですよ」

おりきは自嘲気味に応える。

「でも、お内儀さんは旦那をお慕いして坊ちゃんをお産みなすったじゃないですか」

「それは、男の器量というのは、見た目じゃないからですよ。わたしは芸者をしておりましたからね、男を見る眼はあるつもりですよ。うちの人は、ああ見えて、度量の大きな人なんですよ。お客様の気も逸らさないし、芝居茶屋の主としては、うってつけの男ですよ」

「ご評判は伺っております」

「うちの人は大層、幸助を可愛がっておりましたよ。前のお内儀さんの手前、わたしらは、うちの人が見つけてくれた家に住んでおりました。そうですね、月に二度ほどわたしらの所を訪れていたかしら。いつも幸助のおもちゃをどっさり買って来ましたよ。でもね、幸助がもの心つくようになると、次第にうちの人のことを疎ましく思うようになったんです。通っていた手習所で幸助に何か言って来る子もいたからでしょうね。その内に、うちの人が来ても、ろくに話もしなくなったのですよ。口を開けば、このボケだの、カスだのと悪態ばかりついて。わたしが福之屋に入ることになっても、幸助の気持ちが変わることはありませんでした」

「おまけに跡継ぎ問題で揉めたとなればなおさらですね」

「ええ……」

「おまっとうさんでございます」

年寄りの亭主が汁粉を運んで来た。汁気の多い汁粉の中に小さな丸い餅がふたつ入っており、紫蘇の実の漬け物が小皿に添えられていた。

「どうぞ、召し上がって」

おりきは如才なくおやすに勧め、自分も箸を取る。おやすも口にして、上品な甘さに感激した。

「こんなお汁粉は初めてですよ。さすが芝居町のお汁粉屋さんですね」

そう言うと、おりきはくすりと笑い、ご亭さん、褒められたよ、と気軽な口を利いた。

「こいつはどうも」

照れたように亭主は板場から頭を下げた。

「ここはうちの人が贔屓のお見世なんですよ。うちの人はお酒飲みだけど、たまに甘いものもほしくなる人だから。わたしも最初に連れて来られた時は、あなたのように感激したものですよ。もう、昔のことだけど」

「お内儀さん。坊ちゃんは旦那さんの価値がわかっていらっしゃらない。あたし、それがもどかしいのですよ。まだ十六ですから、無理もないとは思うものの、実のてて親ですよ。だいたい、旦那さんは坊ちゃんのことを本気で叱ったことがあるんですか。なよなよと口先だけで言っても聞きませんよ。坊ちゃんはてて親を舐めているんですよ」

おやすはおりきと話をしながら、次第に気持ちが変わってきた。当初は幸助の肩を持っていたくせに、父親を認めようとしない幸助に腹が立っていた。

「うちの人に幸助を叱るなんてできませんよ」

おりきは諦めたように言う。

「でも、やらなきゃ。坊ちゃんが一生、旦那さんを虚仮にしたままだとしたら、お内儀さんだってたまらないでしょう？」

「…………」

「がんばって下さい。だって、坊ちゃんは旦那さんとお内儀さんの息子なんですから。福之屋さんの跡継ぎなんですから」

おやすはそう言い放つと、急いで残った汁粉を啜った。

「お内儀さん、ごめんなさい。あたし、もう戻らなきゃなりません。これでご無礼致します。お汁粉、ごちそう様です」

おやすはそう続けて頭を下げた。見世を出ようとして袂に入れていた莨に気がついた。

おりきの所に戻り、あたし、親戚の莨屋の仕事を手伝っているんですよ、これ、よかったら、と莨の包みを差し出した。おりきは、ありがとう存じますと、頭を下げた。その時のおりきが本気で幸助に意見するかどうかはわからなかったが。

旭屋に帰ると、案の定、どこで油を売っていたのかと旭屋の女房のおかねに嫌味を言われた。

「人助けよ」

おやすは、ぶっきらぼうに応えた。

「人助けをさせるために、あんたを雇っている訳じゃないよ」

すぐさま応酬された。幸助が福之屋の旦那を好きになるのは、おやすがおかねを好きになることと同じだろうかと考える。無理なような、無理でもないような、曖昧な気持ちだった。

五

幸助の事情にさして進展のないまま、桐座は顔見世狂言の幕を開けた。顔見世狂言は、その世界では芝居の春に当たる。翌年、桐座でどの役者が芝居をするのか、贔屓の客は眼が離せない。

とはいえ、芝居に縁のない弥三郎店の連中は、相変わらず日々の暮らしに追われ、そんな暇もない。しかし、機会があれば、もちろん見物したいものだと思っている。

顔見世狂言がそろそろ千秋楽を迎えようとしていたある日の午前中、福之屋の主とお内儀のおりきが弥三郎店にやって来た。女房達は亭主を仕事へ送り出し、井戸端に集まり、いつものように世間話を始めている時だった。

おやすも洗濯を終えて、そろそろ旭屋に行かなければならなかったが、福之屋夫婦のことが気になり、様子を見ていた。

おすがは大慌てとなった。幸ちゃん、幸ちゃんと部屋の中へ声高に呼び掛けた。

幸助はまだ寝ていたらしく、うるせェな、と怒ったような声が聞こえた。

「幸助。桐座の座元が今晩、うちの見世で宴会を開くんだよ。お前が顔を出さなきや、恰好がつかないよ」

主は阿るような言い方をした。

「知るけェ」

「他人事のように言わないで。わたしの立場も考えておくれ。座元に挨拶すること
で、あんたが福之屋の跡継ぎだと認めて貰えるんだよ」

おりきも必死の形相で言う。おりきが一緒だと気づくと、幸助の悪態はやんだが、
代わりにだんまりになった。

「ちょっと、表に出て来なさいよ。そこにいたって始まらないじゃない」

主がそう言うと、ボケ、帰れ！　と悪態になる。

「何んなのよ、全く。わたしゃ、まだボケと呼ばれる覚えはないよ」

「カス！」

「今度はカスだって。ひどいことばかり言うのね。それがてて親に向かって言う言葉
なの？」

「手前ェなんざ、てて親じゃねェ。福之屋は手前ェのおたふくの娘達が跡を継げばい
いんだ。おれは知らねェ」

「幸助、後生だ。そんなこと言わないで。桐座の座元が、姉さん達を説得して下さっ

たのだよ。福之屋は幸助のものだって」

おりきがそう言うと、幸助は寝間着のまま、ようやく土間口に姿を見せた。

「やあね、その恰好。髪はざんばら、顔は煤けて、様ァ、ないよ」

主は眉を顰めて言う。ほざくな、ボケ！　と、幸助はまた悪態をつく。すっかり父親に対する悪態が身につき、主が何か言う度に間髪を容れずに応える。弥三郎店の女房達は呆れた様子で三人のやり取りを見ていた。

おやすは、幸助がこれほどひどい悪態をつくとは思ってもいなかった。程度というものがある。拳を握り締め、おやすはつかつかと三人の傍に近づいた。

「幸ちゃん、いい加減にしないか。黙って聞いているこっちの身にもなってごらんよ」

「他人は口を挟まないでくんな」

幸助はおやすをぎらりと睨んで言った。

「ほう、確かにあたしらは他人だ。だが、さっき、幸ちゃんは旦那さんのことを、て親じゃないと言ったよね。だったら、旦那さんは幸ちゃんにとって、何んになるのよ」

「お袋の色だ。それ以上でもそれ以下でもありゃしねェ」

幸助がそう言った途端、おやすは幸助の頰に平手打ちを喰らわせていた。誰しも言葉を失い、つかの間、時間が止まったような感じがした。

「この、あま、洒落たことをしやがって！」

だが、幸助はすぐに反撃に出て、おやすは腰を蹴られた。平衡を失い、おやすはその場に倒れた。おりきが慌てて手を貸したが、すぐには起き上がれなかった。

「もっとおやりよ。所詮、ご苦労なしの倅が恰好をつけているだけの話じゃないか。親を困らせて、そんなに嬉しいのか。ボケはお前だ、カスもお前だ！」

おやすは地面に倒れたまま、怯まず言葉を返した。

「手前ェ、言わせておけば」

幸助は眼を三角にして、なおもおやすを蹴ろうとした。その時、主が幸助の前に立ちはだかり、寝間着の襟を両腕で摑んで揺すった。

「おなごに手を出しちゃならない。そんなことをする奴は最低だ。わたしゃ、一度だっておなごに手をあげたことはないよ。もちろん、お前にだって。おやすさんはお前のことを心底心配して、うちの見世に来てくれたのだよ。赤の他人がそこまでするかい？　それも知らずに勝手なことをして、お前、いつからそんな男になった。おっ母さんはお前と一緒に見世を出て、よそで暮らすとまで言っている。お前、おっ母さんにまだ苦労をさせるつもりかい？　せっかく福之屋のお内儀になれたというのに」

旦那の言葉にため息が交じった。おやすはようやく立ち上がったが、ちょっと歩けそうになかった。旭屋に行くのは無理かも知れない。幸助はふて腐(くさ)れた表情のままだった。

そこへ遅番明けの六助が戻って来た。駕籠舁きの六助は、早番と遅番の交代制で働いていた。

六助は集まっていた者へ怪訝な眼を向け、どうした、と女房のおひさに訊いた。

「幸ちゃんのご両親が迎えに来たんだけど、幸ちゃんは素直に帰ると言わないんだよ」

「困った奴だな」

「六助さん、お願いがあるの。あたし、今日は旭屋まで歩けそうもないから、休むって伝えてほしいのよ」

おやすは縋(すが)るように言った。

「どうしました」

「幸ちゃんに蹴られたの」

おひさがそう言うと、六助は幸助の傍に近づいた。

「何が不満なんだ？　言ってみろ」

六助は厳しい声で訊いた。

「何も彼もよ」

「福之屋を継ぐ気もないってことか」

「おうよ」

「金の苦労のない実家よりも貧乏暮らしを選ぶってことだな」

「貧乏暮らしと決まった訳じゃねェわ。おれは手前ェの力で金持ちになってやる」

幸助は豪気に吼(ほ)えた。

「そいつはどうかな。新場で働いたって高が知れてるぜ」

「んなこと手前ェにわかるのか？　ケチな駕籠舁きのくせに」

「幸助、何んてことを言うんだ」

おりきが金切り声を上げて制した。六助は別に気分を害したふうもなかった。それどころか、ふっと笑顔まで見せた。

「この弥三郎店はな、やさぐれ長屋とも呼ばれているんだぜ。だがよ、やさぐれている者なんざ一人もいやしねェ。皆、おまんまを喰うためにあくせくしながら稼いでいるんだ。お前ェ、ひと月余りも新場で働いたから、ちったァ、貧乏人の暮らしがわかったんじゃねェか。それとも、まだわからねェか」

「兄さん、何が言いたい」

「実家をおん出て意気がっているお前ェは大ばか野郎だってことよ」

「何を！」

「まあ、親の商売ェを嫌う倅は珍しくもねェ。お前ェがそれでいいなら好きにするがいいさ。だがよ、おすがさんがお前ェの面倒を見ているのは福之屋の倅だからなんだぜ。福之屋と縁が切れたら、そんな義理もねェはずだ。世間は甘くねェぜ。いつまでも幸ちゃん、幸ちゃんと持ち上げてはくれねェよ」

「くそッ。どいつもこいつも勝手なことをほざきやがって」

「幸助、勘当されたいのかい」

福之屋の主が試すように口を挟んだ。

「上等だ、やって貰おうじゃねェか」

「だったら、幸ちゃん。今すぐ出てっておくれ」

それまで黙っていたおすがが口を挟んだ。

幸助は驚いたようにおすがを見た。

「小母ちゃん、それはねェだろう」

「いいや。幸ちゃんはいい子だと思っていたよ。だけど、これほどへそ曲りだとは思わなかった。あたしはもう、面倒は見られないよ。誰の言うことも聞く気はないんだから。新場の親方の所で住み込みにして貰ったらいいよ。これで福之屋もお仕舞いだ」

おすがは投げやりな口調で言う。

「何んで福之屋がお仕舞いなんだ。妙なことを言うな」

「だってそうじゃないか。跡継ぎで揉めている見世を誰が使う。今夜、旦那は桐座の座元に幸ちゃんを紹介するつもりでいたようだが、それを蹴ったんじゃ、座元も福之屋の跡継ぎが決まっていないと察するだろう。後は潮が引くように見世は寂れるよ。旦那、福之屋は旦那の代で終わりだ。覚悟をしておいたほうがいい」

「そうですね。悔しいが、そうなるでしょう。わたしはおりきと一緒に向島にでも引っ込みますよ」

主は低い声で言った。おりきはたまらず袖で眼を拭う。

「ささ、帰ろうかね。おりき、いつまでも皆さんを引き留めてはご迷惑だ。これでお暇致しましょう」

主はそう続けておりきを促した。弥三郎店の店子達は誰しも、幸助にじりじりする気持ちだった。素直になれないのは若さゆえだろうか。若さとは厄介なものだと、おやすはおりきに貰い泣きしながら思う。女房達も口許に掌を当てて泣いた。六助だけが口をへの字に曲げて幸助を睨んでいる。だが、意を決したように、幸助、帰ると言ってやんな、それが親孝行だぜ、とぽつりと言った。

幸助は俯いて何も喋らない。

「ほらよ」

六助は幸助の背中を押す。幸助はうるさそうに身をよじる。

「皆んな、お前ェが可愛いのよ。そいつは魚を貰ったせいじゃねェぜ。お前ェには意地がある。そこいらの道楽息子とは違う。おれ達はよっくわかっているんだ。その意地をよ、商売に向けたらどうでェ。福之屋は今よりひと回りも身代が太くなるはずだ。おれはそう思っている。なあ、ここはおれ達の言うことを聞いてくれ。後悔はさせねェから」

「兄さん、見世に戻れば後悔しないのか？　本当か？」

「本当だ」

六助は大きく肯く。

「後悔したら、兄さんに文句を言いに来るぜ」

「ああ、黙って文句を聞く」

「なら……」

幸助はそこで心配そうに見つめる女房達や両親の顔をぐるりと見渡し、「皆んなが口を揃えて戻れと言うから、戻ってやるんだからな」と、恩に着せるように言った。女房達は安堵の吐息を洩らす。おやすは腰が抜けて、その場にへたり込んだ。おひさが慌てて腕を取った。

仏頂面で歩く幸助の後ろを主とおりきが続く。二人は何度も弥三郎店の店子達に頭を下げていた。


幸助がいなくなった弥三郎店は気が抜けたように寂しく感じられる。井戸端に集う女房達も口を開けば、ちゃんとやっているのかねえ、と幸助を心配する言葉ばかりが出る。おすがも気の張りを失い、近頃は家の中にこもったきりだった。

おやすは痛めた腰のために旭屋をひと廻り（一週間）も休む羽目となった。しかし、気懸りが片づいたので、腰ぐらい何んだと自分を励ましていた。おりきから見舞いの角樽と菓子折、それにたくさんの膏薬が届けられた。それから旭屋の莨も幾らか福之屋で使ってくれると言ってくれたのだ。旭屋はこれで売り上げが伸びると、おかねは大喜びで、おやすが見世を休んだことに嫌味を言わなくなった。

他の店子達の所にも菓子折と福之屋の屋号の入った手拭いが届けられた。

さらに嬉しいことに初春狂言には弥三郎店の店子達全員が招待された。芝居など一度も見物したことがない連中ばかりだったので、店子達は師走の内から大騒ぎだった。招待日は誰しも仕事の工面をつけて出かけるつもりだった。芝居が終われば福之屋で食事が用意されるらしい。芝居見物にご馳走。弥三郎店は早くも春を迎えた気分に包まれた。

幸助は「魚新」の半纏を脱ぎ、代わりに紋付羽織を纏い、福之屋の若旦那として客に愛想を振り撒いているという。それはおすがの息子の清三郎が教えてくれた。

父親に対する悪態もめっきり少なくなったらしい。幸助は父親のやることをひとつでも見逃すまいと、じっと眼を凝らしているようだ。そんな幸助の態度も贔屓の客の間では評判になっているらしい。

だが、父親の仕事ぶりを見ているせいか、近頃、幸助の仕種がやけになよなよして来たと清三郎は苦笑しているという。血は争えないねえと、おすがは、ほっとしたような、がっかりしたような口調で言い、弥三郎店の女房達を笑わせたものだ。

弥三郎店の年の暮はそんなことで過ぎて行った。

店立て騒動

一

日本橋本石町の裏店「弥三郎店」の店子達は年が明けると葺屋町の芝居茶屋「福之屋」の招待で初春狂言を観劇する幸運に恵まれた。

店子達にとっては一生に一度あるかないかの機会だった。役者達の豪華な衣裳もさることながら、カンテラの面灯り、「煎餅よしか、弁当よしか」と枡席の仕切り板の上を歩き回るもの売り、ベンベンと太棹の三味線に合わせて声を張り上げる囃子方。芝居の中身はもちろん、そうした非日常的な景色すべてが弥三郎店の店子達にとってはもの珍しかった。誰しも興奮状態で、観劇からしばらく経っても夢のようだった芝居の楽しさを日に一度は話題にしたものである。金を貯めて、また見に行くべェと豪気なことを口にする者も一人や二人ではなかった。しかし、楽しみは一時のもの。芝居を見ようが見まいが時は前に進んで行く。やがて芝居の熱が冷めた店子達を待っていたのは相も変わらぬ暮らしだった。

亭主達はそれぞれの仕事に追われ、女房達は掃除に洗濯、めしの仕度に忙しくしていた。

吹く風はまだ冷たいが、亀戸や湯島天神などの梅の名所では、そろそろ開花も囁かれるようになった。梅が終われば桜で、その後は山吹やあやめとなる。季節ごとに律儀に咲く花々は変わり映えのしない日常の暮らしに彩りを添えるものだが、そうは言っても忙しい弥三郎店の連中には、花に風流を覚えている暇はない。梅は咲いたか、桜はまだかいな、ぐらいの気持ちでいる者がおおかただった。

そうした中、弥三郎店に穏やかならざる風聞がひそかに拡がっていた。最初にその話を聞きつけて来たのは大工の鉄五郎である。小舟町の普請現場で仕事をしていた時、近所の人間が弥三郎店の地所に新たな建物ができるようだと話していたのだ。

弥三郎店の家主は小舟町の米問屋「秋田屋」である。家主の秋田屋弥三郎に因み、本石町の裏店が弥三郎店となった訳だ。家主の顔は弥三郎店の連中もよく知らなかった。店賃の集金や、その他もろもろの仕事は差配（大家）の治助が一手に引き受けていたからだ。その時点で治助は店子達に何も言っていなかった。

だからそれは単なる噂かも知れないと店子達は鉄五郎がその話をしても、さほど心配する様子はなかった。

だが、触れ売りの青物売りをしている梅蔵が近所の町医者の家を訪れた時、そこの女中から診療所が手狭になったので、増築をするつもりだという話を聞いた。その町医者とは石井道庵のことで、弥三郎店は道庵の庭と背中合わせになっている。梅蔵が女中に、お庭を潰すんですかい、と訊くと、いえいえ、お庭はそのままで、その奥に病人部屋を建てるのだと応えたそうだ。

その奥というのは弥三郎店のある場所としか考えられない。梅蔵は鉄五郎の話を俄に思い出し、その日は仕事も手につかず、いつもより早い時刻に弥三郎店に戻り、女房達へ早口に伝えた。

「冗談じゃない。勝手にそんな話を進められても困るよ。そいじゃ、あたしらはどこに住んだらいいのさ」

独り暮らしのおすがという女が口を尖らせて文句を言った。

「本当ですね。それならそうと、もっと前から話をしてほしかったですよ。石井先生は今すぐにでも増築したいようなことを女中さんに話しているそうですよ。うちの人、それを聞いて大慌てになっちまったんですよ」

梅蔵の女房のおたまが困り顔をして言う。

その内に大工の鉄五郎や女房のおやす、駕籠舁(かごか)きの六助(ろくすけ)なども次々と戻って来て、井戸を中心に円い輪ができた。

「噂だけじゃ埒(らち)が明かねェ。ここは大家さんに本当のところはどうなんだと聞いてみるのが先だ」

鉄五郎がそう言うと、周りの皆(み)んなは肯(うなず)いた。

「そいじゃ、あっしがひとっ走り、大家さんの所に行って来やすよ」

六助は気軽に請け合った。治助の家は堀江町(ほりえちょう)にある。おやすは、疲れているのにすみませんねえ、と気の毒そうに言った。

「なあに。あっしは、足腰だけは達者なんで」

六助は、にッと笑って足早に出て行った。

「この長屋も建ててから三十年以上にもなるから、どこもここもガタが来ているとはいうものの、住めば都で、店立(たなだ)てを喰うとなると何(な)んだか寂しいよ」

おすがは弥三郎店の佇(たたず)まいをしみじみ眺(なが)めながらため息交じりに言った。

「結局よう、建物の古さじゃねェのよ。人がこの長屋を支えていたのよ。そりゃあ、気に喰わねェ奴もいたが、何んとか堪(こら)えて今までやって来た。夏の暑さに往生する時ア、外に出て縁台将棋を指したり、ばか話をして過ごした。冬はさぶい、さぶいと言いながら春が来るのを心待ちにした。皆んなの気持ちは一緒よ」

理屈っぽいと言われる鉄五郎の話に店子達は、いつもなら辟易となるのだが、その時ばかりは黙って聞いていた。

「あたし、いや！　ここを離れたくない」

おたまは袖で眼を押さえながら言う。梅蔵はそんなおたまに舌打ちして、離れたくねェと言ったところで、家主が決めたことにおれ達が四の五の言える訳もねェ、と吐き捨てるように応えた。おたまは泣き声を高くした。

おやすは傍に行って、おたまの背中を優しく撫でた。

「きっと大家さんが別の住まいを用意してくれますよ。そうしたら、また皆んなでなかよく住めるというものですよ」

おやすはおたまを慰めるように言ったが、現実には、それは無理だろうと、店子達は内心で思っていたようだ。

ほどなく戻って来た六助は、明日の夜、大家さんが詳しい話をするから、空き店に集まってほしいということを伝えた。いったい、治助はどんな話をするのだろうか。

店子達は落ち着かない気持ちだったが、晩めしの時刻をとうに過ぎていたので、それそれの住まいに戻って行った。

「ねえ、店立てを喰うのが本当になったら、どうしたらいい？」

晩めしを済ませ、蒲団に横になった鉄五郎におやすが訊いた。

「んなことわからねェよ」

鉄五郎はぶっきらぼうに応える。

「どこかこの近所で住めるような所はない？」

「ねェよ」

「困ったねえ。あまり遠くだと『旭屋』に通うのも大変だし、いよいよとなったら、小母さんの家に転がり込むしかないかも」

おやすは日中、親戚が商っている旭屋という屋号の莨屋の手伝いをしている。主夫婦は子供がいないので、おやすが頼めば快く家に入れてくれるはずだ。

「お前ェ、小母さんの愚痴を度々こぼしていたじゃねェか。二六時中、顔を突き合わせていたんじゃ、お前ェの心持ちもおかしくなるぜ」

鉄五郎は同居することで起こるいざこざを心配した。

「それはそうだけど、雨露凌げる家がないとなったら、我儘も言っていられないよ」

「焦（あせ）るな。とにかく大家さんの話を聞いてからだ」

鉄五郎はそう言っておやすを制した。

「噂だけならいいのだけど……」

そう言ったおやすに鉄五郎は返事をしなかった。もはや噂だけではないと、鉄五郎は思っていたのだろう。信じたくないが、おやすも弥三郎店を出て行かなければならないだろうという気持ちに傾いていたのだった。

二

翌日の夜、弥三郎店の店子達は空き店に集まった。そこは以前、おすぎという娘が母親と二人で暮らしていた所である。中は六畳間に台所がついただけなので、店子達全員は入り切れない。主（おも）に亭主連中が座敷に座り、女房達は土間口の内や外に立って話を聞くこととなった。

治助は時の鐘（かね）が暮六つ（午後六時頃）を告げてから小半刻（こはんとき）（約三十分）ほどして、せかせかした足取りで現れた。治助は難しい表情をしていた。女房達が挨拶しても顎（あご）をしゃくっただけで、ろくに返事もしなかった。

治助は中に上がり、十人ほどの男達の顔を眺めると大袈裟なため息をついた。

「ため息なんざ、つかねェで下せェよ。こちとら、なおさら心配になる」

弁の立つ鉄五郎は最前列に座って、そんなことを言った。

「わたしだって寝耳に水の話なんで、どうしたものかと案じていたんですよ」

治助は低い声で言う。

「そいじゃ、この長屋を取り壊して、おいら達が店立てを喰うって話は本当のことなんですかい」

鉄五郎が首を伸ばして訊くと、他の亭主達も同様に、ぐっと首を伸ばした。今夜の会合のために、亭主達はそれぞれの仕事を早めに切り上げて弥三郎店に戻っていた。店立てを喰うかも知れないとなったら、誰しも仕事どころではなかった。

「秋田屋さんは先月の半ばに先代の七回忌の法要をしたんですよ。もちろん、わたしも出席させていただきました。その時に秋田屋さんの今の旦那は、弥三郎店はだいぶガタが来ているから、この機会に新しく建て直そうと思っているとおっしゃったんですよ。この長屋が新しく建て直されることにはわたしも反対じゃない。皆んなだってそうだろ？」

試すように訊いた治助に亭主達は一斉に肯いた。

「建物を壊し、大工さんが普請する間のほんの二ヵ月か三ヵ月、不自由だろうが、どこか仮住まいをして貰えばいいと、その時は思っていたんですよ。知り合いの差配に声を掛ければ何んとかなりそうでしたからね。ところが秋田屋さんの旦那の考えがちょいと違っていたことに、わたしはしばらく気がつかなかったんですよ。旦那の本心はここの地所を売り払うことで、弥三郎店を建て替えるつもりはなかったんです」

治助はため息交じりに続けた。

「石井先生がここに病人部屋を建てるつもりだという噂も聞きましたが」

後ろから梅蔵が口を挟んだ。治助は、おや、という表情をして、そうなんですか、と逆に訊き返した。

「とぼけるな！」

声を荒らげたのは錺職人の茂吉だった。

「とぼけちゃおりませんよ。秋田屋さんの旦那は肝腎なことをひとつもおっしゃらない人なんで、石井先生に地所を売ることまでは知りませんでしたよ。わたしだって、この長屋がなくなるのは困りますよ。ケチな長屋でも差配となるには株が要りますからね。ようやくの思いで株を手に入れ、今まで差配としてやって来られたんですから」

何事も商売となったら株がものを言う世の中である。

「手前ェでケチな長屋って言うな」

茂吉はまた怒鳴る。

「はいはい、口が滑りましたよ。あいすみません。つまり、秋田屋さんの旦那は株のこともあって、わたしに詳しい話をしたくなかったんでしょうよ。昔と違って株の値も上がっておりますからね。今のご時世に見合う株の金を出したくないというのが本音なんでしょう。全くずるい人ですよ」

「しかし、地所を売り払うつもりなら大家さんの株代ぐらいは出るはずですよ。それより、店立てを喰うおいら達はどうなるんで？」

鉄五郎は治助の分別臭い顔を睨むようにして訊いた。治助は眼をしばたたき、それは先ほども申しましたように、知り合いの差配に声を掛けて、それぞれ家移りしていただければと、もごもご応える。

「そいじゃ、おいら達はこの先、離ればなれになって、二度とこの顔ぶれでは一緒に住めねェってことですね」

鉄五郎が確かめるように訊くと、外の女房達の中には啜り泣きする者もいた。治助は腕組みして、しばらくものを言わなかった。

遠くの親戚より近くの他人。店子達は皆んな、その気持ちでつき合って来たのだ。別の裏店に移れば、そこに住む店子達と新たなつき合いが始まるとしても、この弥三郎店で今まで築き上げたものは何にも代え難いと鉄五郎は思う。

「おいら達はいつまでここにいられるんで？」

鉄五郎は諦めたように続けた。

「来月いっぱいですかね」

そう応えた治助に、ええっ、と驚きと非難の声が集中した。ひと月あるというものの、まだ新たな転居先は決まっていない。店子達に不安が拡がった。普通は短くても半年ぐらいの猶予期間があるものだ。あまりに急だった。

「本当にひと月でおいら達の落ち着き先を決めていただけるんですかい」

鉄五郎はそれが肝腎とばかりに訊く。治助は多分、と自信のなさそうな表情で応えた。

きっと行き場のない者が一人や二人、いや、もっと多く出るだろう。鉄五郎は内心でそう思っていた。

治助はこれから知り合いの差配に相談しに行くと言って、間もなく帰って行った。残った店子達はすぐに住まいへ戻る気になれず、心許ない表情でその場に座っていた。

「せっかく、この長屋に越して来て、皆んなとなかよく暮らして行けると思ったのによう、世の中、うまく行かねェもんだ」

六助が独り言のように呟いた。

「別の裏店に入るにせよ、店賃だけじゃ済まねェだろう。樽代（権利金）も掛かるだろうし」

梅蔵はぶつぶつと言う。

「それは家主さんが何んとかするだろう。地所を売り払うから、お前ェ達は出て行け、後は知らねェじゃ、世の中、通らねェ」

鉄五郎は憤った声になる。

「この調子じゃ、大家さんは当てにできねェぜ。皆んなはそれぞれに落ち着き先を探しておくのが利口というものだ」

茂吉がそう言うと、それもそうだと店子達は肯いた。

「やれやれ、明日から家探しけェ？　当分、仕事も手につかねェわな」

くさくさした表情で言った梅蔵に皆んなは全くだ、と力のない相槌を打っていた。

い。

　翌日から弥三郎店の店子達はそれぞれに新しい住まいを探し始めた。おすがは大伝馬町の呉服屋「尾張屋」に奉公している息子の清三郎に相談に行くと、清三郎は大慌てとなり、尾張屋の主にも相談して、見世の近くに手頃な一軒家を探すという。おすがはこれで、晴れて息子と一緒に住める訳だ。店立ては、おすがには幸いしたらしい。

　茂吉は奉公している上槇町の「亀甲屋」の近くの裏店に空きがあったので、そちらに移る段取りをつけた。亀甲屋には次男の作次も修業しているので、茂吉の女房のおときは嬉しそうだった。

　他の店子達が着々と新しい住まいを見つけているというのに、鉄五郎と六助だけは決めかねていた。弥三郎店に対する愛着が新しい住まいに向ける気持ちを阻んでいたのだ。

　仕事を終えた二人が顔を合わせると、決めたか、という言葉が口癖のように交わされた。

「いいや、まだだ」

　鉄五郎が応えると、六助も細い眼をしばたたいて、あっしもまだです、と応える。おいら達だけでも一緒の長屋に住もうぜ、と鉄五郎が言えば、六助はざっくり揃った白い歯を見せて、にこりと笑った。しかし、都合よく二世帯が入れる裏店など、おいそれとはなかった。ぐずぐずしている内に時は容赦なく過ぎて行くばかりだった。

鉄五郎の女房のおやすと六助の女房のおひさは、さっさと住まいを見つけられない亭主にいらいらしていた。もう、こうなったら、おやすは当分、旭屋に転がり込むしかないと思っていたし、おひさも迷惑がられても煮売り屋をしている兄夫婦の家に身を寄せる覚悟をしていた。

三

そんな折、見慣れない大工職人が二人やって来て、弥三郎店の立ち腐れたような門口を取り壊し始めた。千社札がぺたぺた貼られた門口は弥三郎店の店子達にとって住んでいる証だった。

「ちょいと、何やってんだよ、あんた達」

茂吉の女房のおときは眼を吊り上げて二人の大工に文句を言った。

「何やってるも何も、おれ達は町医者の石井先生に頼まれて仕事をしているだけだ」

中年の大工職人は当惑した表情で応えた。

「あたしら、何も聞いてないよ」

「そんなことを言われても困るわな。文句があるなら石井先生に言ってくんな。おれ達も都合があるんで、今日やらねェじゃ、次の仕事に差し支えるのよ。ささ、邪魔しねェでくれ」

大工はにべもなく言って、あっという間に古い門口を取り壊し、木の香も新しい白木の門口に付け替えた。古い門口は湯屋の焚き物にでもするのか大八車に載せて運んで行った。

おときは新しい門口を見て、何んとも言えない怒りと寂しさを感じ、店子の女房達に、さっさと出て行けと言われたみたいだ、と泣きながら話していたそうだ。新しい門口には店子達の誰もがおときと同じ感想を持った。両側の表店よりも白々と光り輝く門口は弥三郎店の店子達をあざ笑っているかのようだった。

近頃の弥三郎店の亭主達は晩めしが済んでも、何んとなく外に出て、同じように外に出て来た者と埒もない世間話を交わす。そろそろ桜の蕾が膨らむ頃だと言っても、夜は肌寒い。

今年は特に肌寒さが感じられた。

袷の両腕を摩りながら、それでも亭主達はすぐに家の中に入ろうとしなかった。皆んな、それぞれに人恋しい気持ちだったのだろう。いずれ離れればなれになり、顔を合わせる機会もなくなると思えばなおさらだ。

茣蓙を敷いて、ここで花見の真似事でもするかと言ったのは梅蔵だった。

「桜もねェのにか？」

茂吉は皮肉な言い方で訊く。石井道庵の庭には季節ごとに彩りを感じさせる樹木が植えられていたが、桜の樹だけはなかった。

以前には見事な桜の樹があったそうだ。だが、道庵の妻が桜につく毛虫が嫌いで、おまけに花が散った後の始末が大変だったので、伐ってしまったという。

「いいじゃねェか、花なんてなくても。女房どもに煮しめでも作らせてよ、酒を飲んで、皆んなで最後にぱあッと花見をすりゃ、楽しいぜ」

梅蔵は眼を輝かせて言う。

「思い出に、ってか？」

鉄五郎は醒めた眼で梅蔵に訊く。

「おうよ。毎年毎年、花見の季節になりゃ、この弥三郎店で最後に花見をしたことを思い出すんだ。いいと思うぜ」

「そんな思い出はごめんだ。なおさら寂しくならァな」

鉄五郎はにべもなく吐き捨てた。

「せっかく最後に皆んなで何んかしようと考えたのによう」

梅蔵は低い声でぶつぶつ文句を言っていた。

「建物は取り壊しても、この井戸だけは残すんでげしょう？　それとも塞いでしまうんですかい」

六助は、ふと気になった様子で言った。

「井戸は残すだろう。ここは結構、水の量も多いしな」

鉄五郎はそう応えた。弥三郎店の井戸は、玉川上水から引いた水道だった。

「だったら、最後に皆んなで井戸替えしやせんか」

六助は張り切って言った。

「井戸替えは夏のもんだ」

鉄五郎は興味なさそうに応える。

「夏にはもう、あっしらはここにいねェんですぜ」

六助の言葉に鉄五郎はつかの間、黙った。

そうだった。夏にはもう、この弥三郎店に残っている者はいないのだ。

「皆んなで最後に何かしたいと思う梅さんの気持ちは、あっしにもよくわかる。井戸替えすれば、あっしらの気持ちも清々しくなるし、次にここを使う人のためにもなる。もっとも、どうせ出て行くんだから、そんなことは無駄だと言うんなら、引き下がりやすが」

六助はそう続けて亭主達の顔色を窺った。

「井戸屋の手間賃はどうするのよ」

茂吉が心配そうに訊いた。

「心配ご無用でさァ。あっしは何度か井戸替えしたことがありやす。もちろん、あっし一人じゃ無理ですんで、皆んなのお力もお借りしなきゃなりやせんが」

「井戸替えやるか」

鉄五郎もようやくその気になったらしい。

亭主達も同調して、おう、と野太い声で応えた。

井戸替えの日時も、店子の亭主達はそれぞれの仕事を工面して決めた。三月の半ばのことだった。井戸の中に入る六助の身体を支える太い綱は鉄五郎が用意した。普請現場では、命綱（いのちづな）なるものはあまり使わないのだが、場所が井戸だけに大事を取った。六助が誤って井戸の中に落ちないように、亭主達は綱引きよろしく、列を作って綱を持つ。

六助がそろそろと井戸の中に下りて行き、いいぞう、と合図の声を上げると、滑車（かっしゃ）が回り、水桶が下りる。ざばんと音を立てて六助は井戸の底の水を汲（く）む。水桶を引き上げるのは女房達の役目だ。

「あら、結構、木の葉も紛（まぎ）れているものだねえ。やだ、虫もいるよ。何んの虫だろう」

おやすがそう言うと、他の女房達も水桶の中を覗（のぞ）く。

「さっさと放れ！」

六助が苛立（いらだ）った声を上げる。おやすは慌てて水を振り撒（ま）くと、また水桶を井戸の中へ下ろす。何度、それが繰り返されただろうか。綱、しっかり持て、水を放れ、下ろせ。ざざっと高い水音。

亭主達の額（ひたい）には、いつしか玉のような汗が浮かんでいた。

およそ一刻（約二時間）後、井戸の底の水がすっかり掻（か）き出されると、六助はようやく「終わりやした！」と反響して聞こえる声で言った。亭主達がすぐさま綱を後ろへ引く。やがて六助の顔が現れ、井戸の縁に手を掛けて、身軽に外へ出る。

鉄五郎は井戸替えの仕来たり通り、盃に三杯の酒を井戸に撒き、塩花を振る。残った酒は亭主達がそれぞれ口にした。

一旦、蓋をした井戸の傍で耳を傾ければ、ごぼごぼと新たな水の音がする。

その音を聞いて、弥三郎店の店子達に、ようやく諦観のようなものが生まれていた。

この世には、自分ではどうにもならないことがある。望まないことを受け入れなければならない時もある。親きょうだいの死や、いやおうもなく背負い込んだ借金などもそれに含まれるだろう。どうして自分だけがこんな目に遭うのだと、天を仰いで嘆息した経験は店子達のそれぞれが持っている。

店立ては、かつての苦労に比べて取るに足らないことだが、住み慣れた場所を離れるのはやはり辛い。朝晩、顔を見て二言、三言、言葉を交わすだけで不思議に安心感が得られた。それが一緒の裏店に住む意味でもあったろうか。

「今月はぎりぎりまでここに住もうぜ。そんで、晦日になったら一斉に家移りするんだ。一人でも取り残されるのはたまらねェからな」

鉄五郎は潤んだ眼をして言った。

「最初(はな)っから、そのつもりでしたぜ」

六助はほろりと酒に酔った顔で応える。

「おすがさんの家移りはおいらが手伝うから安心しな」

鉄五郎は笑顔でおすがに声を掛ける。おすがは感極まった表情になったが「所帯道具なんてろくにないから、大した手間でもないよ。でも、ありがとね」と、ぐすっと水洟(みずばな)を啜って気丈に応えた。

「これで倅(せがれ)と晴れて一緒に住めるんだ。おすがさん、よかったじゃねェか」

茂吉は笑顔で言う。

「店立ての話が出るまでは清三郎と一緒に住むのは無理だと思っていたんだよ。それでも、ここの人達がよくしてくれたから、あたしはちっとも寂しくなかった。ところが、いざ、清三郎と一緒に住むことが決まると、これでいいんだろうか、という気持ちにもなるんだよ。年寄りは未練たらしくて駄目なものだ」

おすがは自嘲(じちょう)気味に言った。

「未練たらしいのはおすがさんだけじゃねェ。おれもおたまも、みィも一緒よ」

梅蔵は苦笑交じりに応えた。梅蔵は治助の勧めでようやく田所町(たどころちょう)の裏店へ入ることが決まった。鉄五郎と六助は相変わらず、まだ決まっていない。お互い、ここは焦らず、落ち着いて住まいを見つけるつもりだった。

「しかし、石井先生はこんな所に病人部屋を建てるなんざ、気が知れねェよ。ろくに陽も射さねェ病人部屋じゃ、却って具合が悪くなるんじゃねェか」

茂吉は石井道庵の考えがさっぱり理解できないようだった。

「あたしゃ、具合を悪くしても石井先生に診て貰うのはごめんだよ。あたしにだって意地があるからね」

おすがが憤った声で言うと、他の女房達も、あたしもそうだ、と同調した。

「ま、先のことは何んとかならァな。皆んな、くよくよせずに生きて行こうぜ」

鉄五郎がそう言うと、あんたが一番くよくよしているように見える、と女房達がからかった。

「おきゃあがれ！」

鉄五郎は精一杯の虚勢を張った。

四

それからの弥三郎店の店子達は憑きものが落ちたように、寂しいだの、悲しいだのと愚痴は洩らさず、晦日までの限られた時間を愛おしむように暮らしていた。以前にもまして、女房達は煮しめやひじきの煮物などを拵えると、各家々に配り、亭主達は外の掃除をまめにした。飛ぶ鳥、跡を濁さず、のたとえでもあったろうか。

ところが、晦日まで十日を残すのみとなった日中、差配の治助が荒い息をして弥三郎店にやって来た。

亭主達は仕事に出かけていたので、残っていたのは、おすがとおとき、それにおたまぐらいのものだった。おやすは旭屋へ手伝いに出かけ、おひさも兄夫婦の営む煮売り屋の手伝いがあったので、そこにはいなかった。

「大変だよ。石井先生が心ノ臓の発作を起こして昨夜、亡くなったそうだ」

治助は早口に言った。残っていた女房達は突然のことに驚いたが、それでも弥三郎店を出て行く自分達には、もはや関わりのないことなので、それがどうしたという気持ちだった。

「石井先生の所は息子さんが三人もいらっしゃるから、後のことは心配いらないでしょう」

おときはおざなりに応える。

「それがそうも行かないのだよ。長男さんは小石川で町医者をしていて、存外、繁昌しているんですよ。そこを畳んでこちらに移って来るとなると、あちらの病人が困ることになります。次男さんと三男さんは医者の家に養子に入っておりますから、石井先生の跡を継ぐのはできない相談だ。まあ、石井先生はまだ五十三でしたから、当分、今の診療所を一人でやって行くおつもりだったんですよ」

「でも、秋田屋さんは石井先生に地所を売ったんでしょう？　門口を新しくしたほどですから」

おときはわざと皮肉っぽく聞こえるように言った。

「それはそうなんですが、石井先生が亡くなっては、病人部屋もへったくれもありませんよ」

治助はさほど暑い日でもないのに大汗をかいていた。

「大家さん、何がおっしゃりたいんですか」

おときは治助の顔をまっすぐに見て訊く。

「今晩は仮通夜ですので、わたしもお悔やみに行くつもりですが、残された奥様の考えもありますので、これからのことを伺ってみようと思っているんですよ」

「奥様に伺ったところで、あたしらはもう、別の裏店に移ることが決まっているんですよ。今さらそれを聞いてどうなるものでもなし」

おときはぷりぷりして言った。
「ちょ、ちょっと待って下さい。とり敢えず、家移りは一旦、脇に置いて」
「勝手なことは言わないで！」
おたまが悲鳴のような声を上げた。治助も自分の身の振り方を案じていたようだ。治助
弥三郎店の株の金を戻して貰っても、治助は、呑気に隠居する訳には行かない。治助
の家には十三歳と十五歳の娘がいる。その二人を嫁に出すまで、別の裏店の差配に落
ち着くか、町役の口でも見つけなければならない。残念ながら、そのどちらにも治助
が入り込める隙はなかった。
「面目ない。皆んなの不満は重々承知しておりますよ。お叱りは幾らでも受けますか
ら、ここはどうぞ、わたしの顔を立てると思って、わたしの言うことを聞いて下さい
な」
治助は猫撫で声で言う。おたまの家から出て来た三毛猫のみィが、その拍子に、み
ゃあ、と鳴いた。
「ほら、みィだって文句を言っていますよ」
おたまはみィを抱え上げてそう言った。
治助は、すまない、すまない、と言いながら、下駄を鳴らして出て行った。

「おすがさん、どうなるのかしら」

おときは得心が行かない表情でおすがに訊いた。

「さあ、大家さんが言っていたように、ここは奥様の考えもあることだし、息子達の事情もあるしね。寿命なんて年の順じゃないんだねえ」

おすがは十も年下の石井道庵に深い同情を寄せているようだ。

「そうじゃなくて、この裏店がどうなるかってことを聞いているんですよ」

おときはいらいらして話を急かす。

「病人部屋の話は、多分、流れるだろうね」

おすがは訳知り顔で応えた。

「やっぱり」

おたまは納得して肯いた。

「うちの人の耳に入れたほうがいいだろうか。家移りはちょっと待てって」

おときは思案顔で言う。

「いいや。それは明日、大家さんの話を聞いてからにしようよ。上の倅が奥様を小石川に引き取るかも知れないしね。そうなったら、石井先生のお家も売ることになるだろうよ。どの道、それは石井先生の家の事情で、あたしらには関係がないよ」

おすがは諭(さと)すように二人に言った。

「でも、大家さんが待てって言ったのは、もしかしてここが残るかも知れないってことじゃないかしら。そうなると嬉しいのだけど」

おたまは期待に胸を膨らませた表情で言う。

「おたまさん、そういうことは考えないほうがいいよ。下手(へた)に期待して、後で裏切られた気持ちになるのは辛いからね」

おすがは、はやる二人を制した。

翌日。治助は石井道庵の初七日の法要を済ませたら、奥様から挨拶があるので、また空き店に集まってほしい旨を店子達に伝えた。

挨拶があると言ったところで、家移りまで三日ほどを残すのみとなる。皆んな、それぞれに荷物を纏(まと)めたり、不要な物を燃やしたりして仕度に余念がなかった。

おときとおたまは、おすがに言われていたように下手に期待を持たせるようなことは亭主達に言わなかった。それでもおやすとおひさの耳には、これこれこうだと、それとなく話していた。おやすとおひさは、それがどういうことなのかと怪訝(けげん)そうではあったが。

五

治助はこの間のように店子の亭主達が帰る時刻を見計らい、暮六つ過ぎに石井道庵の妻女の藤江(ふじえ)を伴って現れた。藤江は四十半ばの品のよい痩(や)せた女で、夫の喪に服してお納戸色(なんどいろ)の着物に黒い帯を締めた恰好だった。

事情を知らない亭主達は何んの話かと訝(いぶか)りながらも、大した話ではあるまいと高を括(くく)り、時刻通りに集まって来た者は幾らもいなかった。だから空き店の座敷は女房達で占められる形となった。

「そいじゃ、まだ戻って来ない人もいるが、あまり遅くなってもあれですので、ひとまず、奥様に話をしていただきましょうか」

治助が口火を切ると、藤江は居ずまいを正し、この度は過分なお香料(こうりょう)をいただき、本当にありがとうございました、と頭を下げた。

店子達は香典を出した覚えがなかったので、それは治助が気を利かせてしたことだろう。ここは治助の厚意に甘えることにし、店子達は、いえいえ、という表情を取り繕(つくろ)った。

「わたくしは、病人部屋を建てることには反対でございました。朝に夕に皆さんのお姿を拝見して、真面目にお仕事に励んでいらっしゃるご様子に感心しておりました。その皆さんをこちらの都合で出て行かせるなど、わたくしの本意ではございませんでした。それでも主人には逆らえず、黙って見ているしかなかったのでございます。主人は診療所を拡げれば、長男が戻って来るものと信じていたのです。主人が倒れる前日、長男が久しぶりにわが家に戻って来て、二人で長いこと話をしておりました。しかし、主人と長男の意見が合わず、時々、高い声も聞こえておりました。長男は……親ばかとお思いになるでしょうが、病人の世話を親身にする優しい医者でございます。ですから、この弥三郎店の皆さんを追い立てて、病人部屋を建てることにも承服できなかったのです。そこはわたくしの気持ちと同じで、嬉しゅうございました。しかし、主人は言うことを聞かない長男に業(ごう)を煮やし、二度とわが家の敷居は跨(また)がせないと啖呵(たんか)を切り、長男も望むところだと言葉を返して帰ってしまったのです。落胆した主人は持病の心ノ臓の発作を起こして、とうとう帰らぬ人となってしまったのでございます」

藤江は涙を堪えながら、それでも気丈な口調で石井家の事情を語った。それには弥三郎店の女房達も貰い泣きせずにいられなかった。

「本当に奥様、ご愁傷様でございます」

おやすが涙を溜めた眼で悔やみを述べると、他の女房達も洟を啜りながら頭を下げた。

「初七日を終えたばかりで、わたくしも主人の死がまだ信じられないのでございますが、ここの皆さんが晦日には出て行くとお聞きしますと、矢も盾もたまらず、こうしてやって来た次第でございます。本来なら、喪主は四十九日が済むまで仏様の傍を離れるものではないのですが」

藤江は、近所とはいえ、外出する言い訳を気後れした表情で言った。それがどういう意味なのか、店子達には藤江の気持ちが相変わらず、よくわからなかった。あるいは晦日に弥三郎店を出て行く店子達に藤江が別れの挨拶に訪れたものとも受け取れる。

「奥様は長男さんのいらっしゃる小石川へお移りになるんですね」

おすがは遣い慣れない丁寧な言葉で訊いた。

「長男はそうするように勧めましたが、わたくしは住み慣れた本石町にいたいと存じます」

「そいじゃ、この裏店はどうなさるおつもりなんで」

ようやく戻って来た鉄五郎が土間口に立って声を張り上げた。

「主人はすでに秋田屋さんから、弥三郎店の地所を買い上げております。ですから、ここは石井の家の持ち物となりました。息子達は売るなり貸すなり、おっ母さんの好きにしたらよいと言ってくれました。それなら、わたくしは今まで通り、皆さんに住んでいただきたいのです」

藤江がそう言うと、店子達から、ほうっとため息が洩れた。一番望んでいた展開だったが、店子達は、まだ信じられない気持ちだった。

「出て行かなくていいんですかい?」

仕事を終えて顔を出した六助も確かめるように訊く。藤江は緊張が少し弛んだのか笑顔を見せて肯いた。店子達はようやく藤江の本心に安堵した。弥三郎店にこれからも住むことができる。店子達にとって、これ以上のことはなかった。自然に顔もほころぶというものだ。

「では、これからは奥様が家主さんという訳ですね」

おやすは弾んだ声で訊く。

「さようでございます。家主となれば、ここの管理ばかりでなく、町内のご用も色々とこなさなければなりません。大変でしょうが、差配の治助さんや皆さんのお力を借りて何んとかやって行きたいと考えております。皆さん、わたくしにお力を貸していただけるでしょうか」

心細そうな表情で訊いた藤江に店子達は、もちろん、と力強く応えた。

「しかし、おれ達は新しい裏店に移ることを決めちまったんで、その始末はどうなるんで？」

梅蔵が心配そうに治助に訊いた。

「それはわたしが頭を下げれば済むことですよ」

治助はこともなげに応える。

「大家さんは世話をしてくれた人に恨まれるんじゃねェですか」

それでも梅蔵は心配顔で言う。

「いいんですって」

治助はうるさそうに梅蔵を制した。差配の役目が安泰なら治助にとっても、これ以上のことはなかった。

「あたし、どうしようかねえ」

おすがは迷った様子で言う。

「おすがさんは余計なことを考えずに伜と一緒に住んだらいいんだよ」

表情でもあった。
鉄五郎は安心させるように言った。おすがは小さく肯いたが、割り切れないような

「それで、わたくしが家主となるからには幾らか手を掛けたいのですよ。建物はかなり古くなっておりますからね。この中に大工さんはいらっしゃいます？」

藤江は事務的な口調で訊いた。若い頃は道庵の仕事を手伝い、薬料の計算などもすばやく行なっていたという。藤江は、ものごとをてきぱきと片づける技に長けているようだ。鉄五郎が手を挙げると、藤江は満足そうに肯いた。

「あなたには建物の手直しをお願いします。雨漏りがしていないかどうか、油障子の建て付け、根太の弛みなども注意深く見てやって下さいませ。それから、畳屋さんはいらっしゃいます？」

藤江は続けて訊いた。あいにく畳職人は、弥三郎店にはいなかった。

「それでは出入りの畳屋に畳の入れ替えをお願いしましょうね」

「新しい畳にしていただけるんで？」

茂吉が上ずった声で訊いた。

「ええ、気持ちを新たにする意味でも、そうしたほうがよろしいかと」

「しかし、もの入りですぜ。店賃を値上げされては困る訳で」

梅蔵はおずおずと言う。

「店賃は今まで通り六百文ですよ」

治助が得意そうに応える。お前が得意そうにしてどうする、と店子達は内心で思ったが、それもこれも藤江の厚意だと思い直し、ありがたくその申し出を受けることとなった。

「わたくし、庭の塀の一部も壊して、この裏店と行き来できるようにしたいのですよ。そうそう、手当場（てあてば）はもう必要ないので、そこも取り壊し、小路をつけて、うちの前の通りからもここに入れるようにしたいのですよ」

藤江は大胆に思えるほど次々に計画を話す。

「奥様、それは後からでもできますんで、あまり手を拡げるのはいかがなもんでしょう」

鉄五郎は少し心配になって言った。

「いいのですよ。今まで主人の言いなりだったんですもの。これからはわたくしの好きなようにさせていただくつもり。気楽な独り暮らしですから、皆さんも遠慮なくお遊びにいらして下さいまし」

藤江の言葉に店子達から自然に拍手が起きた。藤江は感激して泣き笑いの顔で何度も頭を下げていた。

「お前さん、あたし、夢を見ているみたい。世の中には、こんなことも起きるのね」

その夜、おやすは蒲団に入ってからも興奮して、なかなか眠れなかった。

「井戸替えしたから、井戸の神さんのご利益もあったかな」

鉄五郎はそんなことを言う。

「きっとそうね。自分達のためでなく、後の人のことを考えて井戸替えしたのがよかったのよ。皆んなの優しい気持ちが通じたのよ」

「だな」

鉄五郎は満足そうに肯く。

「おまけにお前さんの仕事も出て、きっと親方も喜んでくれると思うよ。半月ぐらいの仕事になるかしらね」

「いや、ひと月は掛かるだろう」

「手間賃、大丈夫かしら。石井先生は地所を買うのに大金を遣ったと思うけど」

「石井先生は病人部屋を建てるつもりだったんだぜ。鳶職(とび)に取り壊しを頼み、さらに病人部屋の普請となると半端でもねェ金が掛かる。ちゃんと心積もりしていたさ。ここの修繕と畳代、それに手当場を取り壊して小路をつけたとしてもお釣りが来るわな」

鉄五郎は自分なりに見積もりして応える。

「それならよかった。大家さんも安心しているでしょうね」

「一番ほっとしているのは大家さんじゃねェかな」

「ほんとね。あの人は口うるさいけれど、大家としては上等だと思うよ。こっそり、あたしらの香典を出してくれたんだもの」

「後で請求されるぜ」

「え？　そうなの」

「当たり前ェだ。だが、割り勘にすれば大した額にはならねェだろう」

「勘定のことになると頭が働くのね。お見それしました」

おやすはからかうように言った。おきゃあがれ、と鉄五郎は苦笑交じりに応えた。

おすがは尾張屋に行って、弥三郎店がこれまで通り続くことを息子の清三郎に伝えた。

おすがは内心で清三郎が、せっかくの機会だから、弥三郎店のことはともかく、一緒に住もうと言ってくれるものと思っていた。だが、そういうことなら、おっ母さんにとっても住み慣れた所がいいだろう、一軒家に住むのはおれが嫁でも貰う時にしよう、とあっさり応えたという。あんな薄情な倅とは思わなかったと、おすがは悔し涙にくれていた。

弥三郎店に足場が掛けられ、本格的に改築工事が始まったのは四月の声を聞いてからだった。しばらくは落ち着かない日々が続くが、それもこれも住まいを快適にするためだと思えば、誰も文句は言わなかった。見た目より屋根がかなり傷んでおり、雨漏りどころか、大雨でも降ったら住まい全体が水浸しになるところだった。

米問屋の秋田屋が潰れたという話を聞いたのは改築工事に入って十日ほど経った頃だった。それには弥三郎店の店子達もひどく驚いたものだ。

秋田屋は数年前に大坂から回漕する船が嵐に遭って沈没し、大きな負債を抱えていた。

その負債は石井道庵に弥三郎店の地所を売っただけでは埋め合わせができなかったらしい。借金取りが大勢秋田屋へ駆けつけたようだが、奉公人達はとっくに暇を出され、主とその家族も夜逃げして、そこには誰もいなかった。

借金取りは仕方なく、米搗き(こめつ)の器械や家具調度などを借金のかたにした。それでも足りずに座敷の畳、襖なども没収したという。

あばら家と化した秋田屋には、かつての繁昌ぶりを偲ばせるものは何も残っていなかった。まことに明日は何が起きるか知れたものではないと、弥三郎店の店子達はしみじみ思ったものである。

六

弥三郎店は生まれ変わった。立ち腐れたような裏店は、丁寧に修繕され、店子達はこれから安心して住むことができる。藤江の希望通り、石井家の脇小路からも弥三郎店に入れるので、便利にもなった。

藤江は近所の娘達に趣味だった華道の指南を始めた。若い娘達の笑い声が弥三郎店にも響いて来る。まだ四十半ばの藤江にとって、余生は長い。夫を亡くした寂しさを自分なりに埋める術を考えているのだろう。親しい友人達と芝居見物も度々するようになったという。

「近頃の奥様はずい分、明るくなったこと」

おやすは朝めしの食器を洗いながら女房達に言った。

「石井先生はあれで亭主関白だったから、奥様は今まで我慢することが多かったのさ。亭主が死んで生き返ったように元気になる女房の話はよく聞くことだ」

おときも洗濯をしながら言う。

「それに比べて、女房に先立たれた亭主は、へなへなのぐずぐずになるよね。男なんて弱いものよ」

おひさも煮売り屋へ出かける時間を気にしながら六助の下帯(したおび)やら肌襦袢(はだじゅばん)やらを洗っていた。

「この長屋は弥三郎店のままでいいのかしら」

みィを抱きながらおたまが口を挟んだ。

「どういうこと?」

おやすは茶碗籠に洗った食器を入れながら訊いた。

「秋田屋さんは潰れちまったんだし、もはや弥三郎店でなくてもいいと思うの」

おたまの言葉に女房達は、それもそうだと肯いた。

「おたまさんは、どんな名にしたらいいと思っているの?」

おやすが訊くと、それはわからないけど、と、おたまは低い声になる。

「石井道庵店」

おときが思いついたように言った。

「長ったらしいよ。薬種屋か刀剣商みたいだよ」

おひさはすかさず応えた。おときは、むっとした表情でおひさを睨んだ。

「じゃあ、どんな名前がいいのさ。言ってごらんよ」

「うーん、藤江店、いや、奥様店かなあ」

「何言ってんのさ。そんなピンと来ない名前じゃ、ここへ訪ねて来る人が迷っちまうよ。もちっとましな名前が浮かばないものかねえ」

おときは反撃に出る。おやすはくすりと笑い、それは亭主連中にも相談したほうがいいよ、とやんわり言った。


亭主達も心機一転のつもりで裏店の名前を変えたほうがいいとは思ったが、さて、それにふさわしい名前がなかなか思いつかなかった。

五月の江戸は吹く風も心地よく、晩めしの後に外に出ても寒さに震えることはない。

裏店の改名が店子達の当面の話題ともなっていた。

「名前を変えりゃ、やさぐれ長屋と悪態をつかれることもねェしな。ところが肝腎の名前が出て来ねェ。困ったもんだ」

梅蔵は弱った顔で言う。

「奥様は何んと言ってるのよ」

鉄五郎は藤江の気持ちを知りたがった。

「うちの奴の話じゃ、今のままでいいんじゃねェかだと」

梅蔵はつまらなそうに応える。

「六さん、お前ェはどう思うよ」

鉄五郎は早番で引けて来たばかりの六助に訊いた。

「あっしは、そういうのは苦手でさァ。うちの親父だって餓鬼の名前ェをつけるのが面倒で、六番目に生まれたから六助でいいやなんて、適当にあっしにつけたんですからね」

「六さん、六番目か」

茂吉が愉快そうに訊く。

「へい、そうなんですよ」

「おれは祖父さんが茂助で、てて親が茂平、そんでおれが茂吉ですよ」

「茂吉さんの倅は名前に茂がつかねェじゃねェか」

梅蔵は揚げ足を取るように言う。茂吉の長男は朝太で、次男は作次である。

「出て来なかったんだよ、茂のつく名前ェが」

茂吉がやけになって応えると、亭主達は声を上げて笑った。ひとしきり、自分達の名前の由来を語り合った後で、鉄五郎は、で、どうする？　と亭主達の顔を見回した。

「わからねェ」

梅蔵が応えると、皆んなも居心地の悪い表情で肯いた。

「弥三郎店のままでいいか。秋田屋は潰れたが、ここは甦った。案外、秋田屋の先代の加護があったのかもしんねェ」

鉄五郎がそう言うと、亭主達は、はっと気づいたように、そうだ、きっとそうだと応えた。

「よし。これで決まりだ。後で四の五の言うのはなしだ。いいな」

鉄五郎は念を押した。

「やさぶろ、やさぶろ」

六助はチャチャチャチャと手拍子をとって景気をつけた。他の亭主達も笑いながら調子を合わせる。

「やさぶろ、やさぐれ」

「やさぐれ、やさぶろ」

愉快そうに声を張り上げる亭主達に女房達は何事かと油障子を開けて外を見る。

満天の星は無邪気な店子達の頭上で金剛石(こんごうせき)のような光を放っていた。弥三郎店の店立て騒動は二転、三転したが、これにて一件落着したようだ。

本書は二〇一四年二月、小社より刊行されたものです。

|著者| 宇江佐真理　1949年函館生まれ。函館大谷女子短大卒。1995年、「幻の声」で第75回オール讀物新人賞を受賞。2000年、『深川恋物語』（集英社文庫）で吉川英治文学新人賞受賞。2001年、『余寒の雪』（文春文庫）で中山義秀文学賞受賞。著書に『泣きの銀次』『晩鐘　続・泣きの銀次』『虚ろ舟　泣きの銀次　参之章』『室の梅』『涙堂』『あやめ横丁の人々』『卵のふわふわ』『アラミスと呼ばれた女』（すべて講談社文庫）など。他に「髪結い伊三次捕物余話」シリーズなどがある。2015年、逝去。

日本橋本石町やさぐれ長屋
宇江佐真理

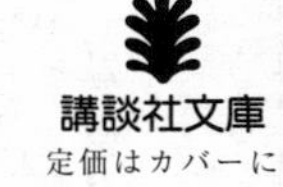

講談社文庫
定価はカバーに
表示してあります

2020年3月13日第1刷発行

発行者――渡瀬昌彦
発行所――株式会社　講談社
東京都文京区音羽2-12-21　〒112-8001
電話　出版（03）5395-3510
　　　販売（03）5395-5817
　　　業務（03）5395-3615
Printed in Japan

デザイン―菊地信義
本文データ制作―講談社デジタル製作
印刷――凸版印刷株式会社
製本――株式会社国宝社

ISBN978-4-06-518954-2

講談社文庫刊行の辞

二十一世紀の到来を目睫に望みながら、われわれはいま、人類史上かつて例を見ない巨大な転換期をむかえようとしている。

世界も、日本も、激動の予兆に対する期待とおののきを内に蔵して、未知の時代に歩み入ろうとしている。このときにあたり、創業の人野間清治の「ナショナル・エデュケイター」への志を現代に甦らせようと意図して、われわれはここに古今の文芸作品はいうまでもなく、ひろく人文・社会・自然の諸科学から東西の名著を網羅する、新しい綜合文庫の発刊を決意した。

激動の転換期はまた断絶の時代である。われわれは戦後二十五年間の出版文化のありかたへの深い反省をこめて、この断絶の時代にあえて人間的な持続を求めようとする。いたずらに浮薄な商業主義のあだ花を追い求めることなく、長期にわたって良書に生命をあたえようとつとめるところにしか、今後の出版文化の真の繁栄はあり得ないと信じるからである。

同時にわれわれはこの綜合文庫の刊行を通じて、人文・社会・自然の諸科学が、結局人間の学にほかならないことを立証しようと願っている。かつて知識とは、「汝自身を知る」ことにつきていた。現代社会の瑣末な情報の氾濫のなかから、力強い知識の源泉を掘り起し、技術文明のただなかに、生きた人間の姿を復活させること。それこそわれわれの切なる希求である。

われわれは権威に盲従せず、俗流に媚びることなく、渾然一体となって日本の「草の根」をかたちづくる若く新しい世代の人々に、心をこめてこの新しい綜合文庫をおくり届けたい。それは知識の泉であるとともに感受性のふるさとであり、もっとも有機的に組織され、社会に開かれた万人のための大学をめざしている。大方の支援と協力を衷心より切望してやまない。

一九七一年七月

野間省一

つげ義春

つげ義春日記

解説＝松田哲夫

昭和五〇年代、自作漫画が次々と文庫化される一方で、将来への不安、育児の苦労、妻の闘病と自身の不調など悩みと向き合う日々をユーモア漂う文体で綴る名篇。

978-4-06-519067-8
つK1

稲垣足穂

稲垣足穂詩文集

編・解説＝中野嘉一・高橋孝次　年譜＝高橋孝次

前衛詩運動の歴史的視点からイナガキタルホのテクストを「詩」として捉え、編まれた、大正・昭和初期の小品集。詩論・随筆も豊富に収録。

978-4-06-519277-1
いY1

講談社文庫　目録

講談社文庫　目録

講談社文庫　目録

江上　剛　絆
江上　剛　再起
江上　剛　企業戦士
江上　剛　リベンジ・ホテル
江上　剛　起死回生
江上　剛　瓦礫の中のレストラン
江上　剛　非情銀行
江上　剛　東京タワーが見えますか。
江上　剛　慟哭の家
江上　剛　家電の神様
江上　剛　ラストチャンス 再生請負人
江國香織　真昼なのに昏い部屋
江國香織・文 松尾たいこ・絵　ふりむく
M・モーリス 江國香織訳 宇野亜喜良絵　青い鳥
江國香織他　100万分の1回のねこ
遠藤武文　プリズン・トリック
遠藤武文　パワードスーツ
遠藤武文　原調
円城　塔　道化師の蝶

大江健三郎　新しい人よ眼ざめよ
大江健三郎　取り替え子（チェンジリング）
大江健三郎　鎖国してはならない
大江健三郎　言い難き嘆きもて
大江健三郎　憂い顔の童子
大江健三郎　河馬に噛まれる
大江健三郎　M/Tと森のフシギの物語
大江健三郎　キルプの軍団
大江健三郎　治療塔
大江健三郎　治療塔惑星
大江健三郎　さようなら、私の本よ！
大江健三郎　水死
大江健三郎　晩年様式集（イン・レイト・スタイル）
小田　実　何でも見てやろう
沖　守弘　マザー・テレサ〈あふれる愛〉
岡嶋二人　あした天気にしておくれ
岡嶋二人　開けっぱなしの密室
岡嶋二人　ちょっと探偵してみませんか
岡嶋二人　そして扉が閉ざされた

岡嶋二人　どんなに上手に隠れても
岡嶋二人　タイトルマッチ
岡嶋二人　解決まではあと6人〈5W1H殺人事件〉
岡嶋二人　眠れぬ夜の殺人
岡嶋二人　コンピュータの熱い罠
岡嶋二人　殺人！ザ・東京ドーム
岡嶋二人　99％の誘拐
岡嶋二人　クラインの壺
岡嶋二人　増補版 三度目ならばABC
岡嶋二人　ダブル・プロット
岡嶋二人　新装版 焦茶色のパステル
岡嶋二人　チョコレートゲーム 新装版
岡嶋二人　新版 七日間の身代金
太田蘭三　殺・風景〈警視庁北多摩署特捜本部〉
太田蘭三　虫も殺さぬ〈警視庁北多摩署特捜本部〉
太田蘭三　口唇紋〈警視庁北多摩署特捜本部〉
大前研一　企業参謀 正・続
大前研一　やりたいことは全部やれ！
大前研一　考える技術

2019年12月15日現在